Hermanos en Armas

Paul Langan
&
Ben Alirez

Editor de la Serie: Paul Langan

TOWNSEND PRESS

Los libros del la serie Bluford

Copyright © 2014 by Townsend Press, Inc.
Printed in the United States of America

9 8 7 6 5 4 3 2 1

Townsend Press, Inc.
439 Kelley Drive
West Berlin, NJ 08091

permissions@townsendpress.com

ISBN-13: 978-1-59194-422-5

Library of Congress Control Number:
2013935839

Capítulo 1

Estoy parado frente a la Escuela Secundaria Bluford, con sangre en mis codos, y un tajo en mi cabeza. Siento mis costillas rotas. La escuela está llena de gente, y voy con tres horas de retraso.

Quisiera poder faltar clases otra vez.

La Señorita Spencer, la directora de nuestra escuela, seguro que me cacha si entro ahorita. Ya los otros maestros le han dicho bastante de mí, Martín Luna, el chamaco peligroso que viene del barrio, y que antes estaba en la Secundaria Zamora. La última vez que estuve en su oficina, ella sólo se quedaba viéndome, observándome con ojos que brillaban como faros de policía.

"¿Cuál es el problema entre tú y Steve Morris?" me preguntó.

1

"Pos' nada", dije yo. Aunque le odio al chamaco, no soy soplón.

Ella se cruzó de brazos y suspiró, mirándome todavía como si yo fuera algún tipo de acertijo. Me di cuenta que ella estaba perdiendo la paciencia. No la puedo culpar. No es fácil bregar conmigo. Y aún así, yo también le clavé la mirada hasta que se vio forzada a mirar para otro lado. No se me puede intimidar con la mirada. A mí me ha golpeado gente que te asustaría ver en la calle. No le corro a nadie, ni a los directores, ni a los chamacos como Steve Morris que me buscan bronca. Eso es parte de mi problema.

Pero yo me fui corriendo esta mañana. Me eché a correr como las cucarachas del sótano de nuestro viejo departamento cuando les prendes la luz. Años antes, mi hermano y yo las perseguíamos hasta que se metieran en las sombras, aunque Huero nunca las aplastaba como yo. El siempre fue un buen muchacho. Me hace tanta falta.

Yo no le estaba corriendo a un chamaco. Ni le corrí a la policía, ni a una pandilla. Era más que eso, y tampoco sé si correr me servirá de algo. Y lo único que tengo ahorita es esta escuela que

2

no sabe qué va a hacer conmigo, y las palabras que mi profesor de Inglés, el Sr. Mitchell, me dijo ayer.

"Martín, tú tienes talento, y tienes un futuro prometedor. No lo eches a perder. Cuando sientas que las cosas se te están yendo de las manos, cuando te sientas que estás hundiendo, habla conmigo. Yo estoy aquí para ayudarte. Y lo digo de corazón".

Me encogí de hombros al oír sus palabras. Pero ahora espero que sea cierto lo que dijo porque estoy que me lleva quien me trajo. Metido en un rollo pero bien grueso. Me di cuenta esta mañana, pero esto ha estado pasando por meses. Años, más bien. Ahora tengo que decidir.

Miro al guardia de seguridad echándome el ojo. Está hablando con alguien por radio. La Sra. Spencer ya viene para acá. Ya la amolé.

¿Y ahora que hago?

Todo esto empezó el 10 de julio. Me acuerdo exactamente de lo que pasó porque todavía sueño con eso mismo. A veces me despierto en medio de la noche bañado en sudor, con mi corazón brincando contra mis costillas. Nunca se me va a olvidar.

Mis cuatro cuates y yo estábamos pasándola en el callejón detrás de la casa de mi carnal Frankie. Estábamos viendo cómo él enceraba su Pontiac LeMans del 72. Con aros cromados, y tan azul como el océano, el carro era la niña bonita de Frankie. Si le preguntas, él te diría que lo trataba mejor que si fuera una persona. Y era verdad.

Nos estábamos cocinando bajo el sol del sur de California. El pavimento estaba tan caliente que casi derretía la suela de nuestros zapatos. Pero teníamos la música del carro. Y Chago, uno de los vatos, tenía una caja de cervezas. No me gustaba beberla porque vi lo que hizo con mi padre, y lo que él hacía cuando estaba borracho, pero Chago era otra cosa. A él le encantaba su cerveza, pero nunca perdía el control, así que todo era en buena onda.

No mas estábamos ahí en buena vibra, hablando de carros y viejas, cuando Frankie nos miró a mí y a Chago.

"Carnales, me quiero conseguir una güisa. Creo que estoy pasando demasiado tiempo con ustedes, pelados", dijo Frankie.

Nos reímos. Frankie Pacheco era el más duro de nuestro grupo. Y al que más le gustaba armar bronca. Se decían muchas cosas acerca de lo que Frankie había hecho, pero él nunca hablaba de eso a menos que estuviera borracho, y entonces no se le podía escuchar. Una cicatriz en su lado derecho marcaba donde alguien le había metido una puñalada el verano pasado. Yo estaba ahí, apoyándolo. Yo vi a Frankie patear en el estómago y la cara al chamaco que tenía el cuchillo. Frankie sabía cómo cuidarse. Él tenía diecinueve años; era tres años mayor que yo. Tal vez otras gentes hayan tenido broncas con él. Pero para nosotros, él era como de la familia.

"Estás soñando, ése", le decía jugando mientras le lanzaba un puño suavemente. "¿Alguna vez te viste en el espejo?"

Junie pegó una carcajada tan dura que casi escupe la cerveza sobre el carro de Frankie. Él siempre se estaba riendo de todo.

Frankie me devolvió un puño que casi me roza el hombro. Los dos siempre peleábamos de a mentiras. Aunque ninguno de los dos decía nada, yo creo que sabíamos que en el fondo había algo más serio.

"Ey, Martín", dijo Jesús, otro de los cuates. Se estaba fumando un cigarrillo. Eso lo hacía apestar igual que mi padre. "Tengo a Huero a las 11:00".

Me volteé justo a tiempo para poder ver a una pequeña silueta agachada detrás de un contenedor verde de basura del tamaño de una camioneta pick-up. Era Huero, mi hermano de ocho años. El nombre de pila de Huero era Eric. Huero era sólo su apodo. Le pusimos así desde chico porque su piel era más pálida que la mía y la de mi mamá.

"¿Ya está de vuelta?" Frankie preguntó, meneando la cabeza y bajando los puños. A Frankie no le gustaban muchas cosas, y menos los chamaquitos. "No conozco a nadie que adore a alguien tanto como ese hermanito tuyo te adora a ti".

Era cierto. Huero tenía la maña de andar detrás de mí, no importa a dónde fuera o lo que estuviera haciendo. Eso me tenía cansado, y trataba de desalentarlo para que no lo hiciera. Digo, ¿cómo se puede bregar con alguien que te admira como, bueno, como el hermano mayor que eres?

Yo no siempre sabía cómo bregar

con él, pero no lo quería cerca, especialmente cuando estábamos bebiendo o chequeando a las chavas. Se siente medio gacho cuando tienes a tu hermanito ahí y al mismo tiempo estás tratando de que una chava te dé su número de teléfono. Y no lo quería cerca del alcohol ni de los cigarrillos. Ya él lo entendería en algunos años, pensaba yo. Pero me equivoqué.

"Asegúrate de cuidar bien a tu hermano", me dijo mi mamá, temprano ese mismo día. La mayoría de las veces, yo hacía eso mismo pero alejándolo de mí, inventando cuentos para hacer que se fuera. Lo que fuera, y así tener más tiempo para poder pasarla con la raza.

"¡Huero!" le grité, alejándome del *lowrider* de Frankie. "¡Sal de ahí!"

Huero salió de detrás del contenedor un segundo más tarde, empujando su rechinante y maltratada bicicleta. Él llevaba esa bicicleta a todos lados.

"¿Qué te dije acerca de andar detrás de mí?"

"Lo siento, Marty", tartamudeó. "Yo sólo".

"¿Tú sólo qué?" le pregunté, empujándole con la punta del dedo. "Tú sabes que no deberías estar aquí".

Con ojos de borrego, miró a los chicos y me ignoró. "Hola, chicos, tengo goma de mascar. Puedo compartirla con ustedes".

Chago y Frankie me miraban y meneando la cabeza voltearon la mirada avergonzados.

"¡Vete a casa, Huero, *ahora*!" le ordené.

Mi hermano entonces me clavó la mirada. Aunque sólo por un segundo, pero fue tiempo suficiente para ver su decepción. Todo lo que el chamaco quería era estar conmigo, y yo lo estaba mandando a que se fuera.

"OK, Marty", dijo en tono de derrota. "Te miro más tarde entonces, ¿OK?"

"Sí, sí," dije asintiendo con la cabeza, y con sentimiento de culpa por haberlo corrido. No podía estar enojado con Huero por mucho tiempo. Y no importaba lo mal que lo tratara, simplemente volvía otra vez a mí con esa mirada. El chico me miraba como si yo fuera un superhéroe o algo así. Yo. Él era demasiado chico para ver la realidad.

Me quedé mirándolo por un segundo mientras comenzaba a irse pedaleando, y luego me di vuelta. "¡Vatos! ¿Les dije lo que él dijo esta mañana?" les pregunté.

"¿Qué dijo?"

"Huero dijo que quiere ser como yo cuando sea grande. ¿Pueden creer eso?" La idea me pareció una tontería entonces. Ahora me hace sentir culpable.

Todos nos reímos, pero luego oímos a Huero gritando en la distancia.

"¡Marty!"

Me volteé a verlo, y él venía pedaleando hacia a mí tan rápido como podía.

A media cuadra detrás de él, un sedán blanco venía a toda velocidad por el callejón hacia nosotros. Algo sobresalía de la ventana. Algo que relucía en la luz brillante del sol.

"Cuidado, Marty", gritó Huero. Mi hermanito menor estaba tratando de protegerme.

El carro venía hacia nosotros, tenía vidrios ahumados, así que no pude ver bien para adentro. Huero estaba pedaleando rápido, pero el carro iba más rápido. Le grité para que se quitara del camino, pero no corrió a esconderse. Él pudo haberse escondido detrás del contenedor de basura, o pudo haberse tirado a un lado de la calle. Pero en vez de eso, Huero seguía viniendo hacia mí, con sus grandes ojos cafés muy abiertos y sin pestañear mientras pedaleaba, la bicicleta chillaba como un campo lleno de chapulines.

Chago, Jesús, y Frankie corrieron a esconderse detrás del *lowrider*. Podía oír sus zapatos raspando el concreto.

"¡Abajo, vatos!" gritó Frankie.

Entonces se oyeron los disparos.

¡Pum! ¡Pum! ¡Pum! Sonaron recio, como petardos, pero el olor era diferente, más agudo, como el olor de cerillos quemándose. Del tipo que te quema por dentro la nariz.

Huero me alcanzó, y saltó de su bicicleta a mis brazos al mismo tiempo que el carro se aproximaba. No tuve tiempo para pensar. Yo sólo lo agarré y me volteé para que mi cuerpo cubriera el suyo como si fuera un escudo.

Sonaron más disparos. Una bala pasó silbando cerca de mi oreja. Otro dio en la acera y rebotó rápidamente hacia la ventana de algún lado. Todavía en sueños puedo oír cuando se quebró el vidrio. Entonces, súbitamente, la balacera se detuvo. Mirando para atrás sobre el hombro, vi el carro dar vuelta a la esquina, con las ruedas chillando como si fuera alguna clase de demonio.

"Ya se fueron, vato", dijo Frankie. Él salió de detrás del LeMans.

Mi corazón estaba a punto de salírseme por la boca. Yo había oído disparos y había visto una tienda después de una balacera. Pero nunca me habían disparado antes. Respiré profundamente, cuando ya estaba seguro de que se habían ido.

"Ya pasó, Huero", dije. Mi hermanito parecía que estaba durmiendo. Yo casi que no quería molestarlo. "¿Huero?" repetí.

Los cuates vinieron corriendo a donde yo estaba mientras que yo seguía de rodillas.

"Vamos hermanito, despierta. ¿Qué te pasa?" Metí mi brazo por debajo de él para sentarlo, y sentí algo húmedo en la mano. Era tibio, como agua de la bañera, pero se le salía de detrás de la cabeza.

"Martín, parece que no está respirando", dijo el Chago en voz baja. El tono de su voz me alarmó porque Chago nunca hablaba así.

"¡Oh, no!" dijo Junie.

Miraba todo como si estuviera viendo el mundo a través de un cristal roto. Mis manos estaban rojas, y la vida de mi hermanito se estaba derramando en la calle, mezclándose con la tierra como si fuera lluvia.

Esto no podía estar pasando. No podía ser. No a mi hermano.

"Ándale, Huero", le dije, meciéndolo en mis brazos como cuando él era pequeño. "Ándale".

Las gentes empezaron a juntarse alrededor de nosotros, pero yo los bloqueé porque Huero se iba a despertar. Él se tenía que despertar.

Le toqué la mejilla. Él todavía estaba tibio, y su piel estaba tan suave como cuando era un bebé. Sin embargo, mis dedos dejaron manchas de sangre en su cara y su cuerpo estaba muy flojo. "Despiértate, hazlo por tu hermano mayor", yo le decía. "¡Despiértate!"

Una mujer gritó de en medio de la multitud que estaba detrás de mí, y luego oí una voz que dijo:

"¡Llamen a una ambulancia! ¡A ese chico le metieron un balazo!"

Yo no podía hablar ni moverme ni pensar. Me quedé sentado ahí en el suelo abrazando a mi hermanito.

Alguien me puso el brazo en el hombro. Me volví para mirar y era Frankie, sus ojos oscuros y llenos de ira, con el ceño arrugado como un carro abollado.

"Los vamos a encontrar, vatos",

dijo. "Los vamos a encontrar". Él me dio una palmada en el hombro y se alejó. Entonces oí las sirenas que se acercaban.

No podía soltar a Huero cuando los paramédicos llegaron. Tuvieron que separarme de él a la fuerza porque yo no iba a abandonar a mi hermanito menor. Pero muy adentro, sabía que él ya se había ido. Y, de cierto modo, también yo.

El que le disparó, hizo un agujero en mi corazón también, un agujero negro del cual, en vez de sangre, se derramaba sólo un deseo de venganza. Y al tiempo que soportaba el viaje al hospital, el llanto y los gritos a viva voz de mi madre, y de ver la sangre de mi hermano escurriéndose por el lavabo cuando me lavé las manos, ese deseo crecía como un tumor.

Eso pasó hace dos meses.

Capítulo 2

"No lo hagas, mijo. No trates de vengarte", dijo mi mamá cuando llegamos a casa luego de enterrar a mi hermano. Casi siempre me llamaba mijo, especialmente cuando estaba molesta.

Mi mamá es inteligente. Ella sabía que yo quería venganza. Ella podía verlo en mis ojos, en la mirada que le di a mis amigos mientras rechinaba los dientes.

Le volteé la cara.

"Mírame, Martín", suplicó con lágrimas en los ojos. "Dime que no lo harás, y te creeré".

"Ma, no . . ."

"¡Dímelo!" exigió, con la voz quebrada.

Yo no soportaba verla llorar. Ya la había visto llorar muchas veces en mi vida. Cuando yo era niño, ella lloraba cuando mi padre bebía demasiado y comenzaba a golpearla. Y luego cuando la abandonó después de que nació Huero, ella lloró durante días. A veces la oía llorar en su habitación hasta altas horas de la noche. Ella trataba de ahogar el sonido con las almohadas, pero yo sabía lo que estaba pasando.

Sin embargo, cuando Huero murió, ella gemía más recio que nunca. Incluso cuando se las arreglaba para poder callarse, rodaban lágrimas silenciosas de sus ojos; brillaban en su cara como pequeños fragmentos de cristal roto.

"No, mamá", le aseguré. Pero yo le estaba mintiendo.

Siempre que podíamos, Frankie, Junie, Chago, Jesús y yo nos arrancábamos en el LeMans en busca del sedán blanco. Pasábamos las tardes de verano cruzando lentamente en el carro por barrios llenos de niños chicanos morenitos que se parecían a nosotros. Que nos miraban con recelo a medida que pasábamos, de la misma manera que nosotros le echábamos el ojo a la gente que pasaba por nuestras calles.

"Los vamos a agarrar, Martín. No te preocupes, vato", dijo Frankie. Que había comprado un arma, una pistola calibre 9 milímetros, que guardaba en un bolsillo en la parte de abajo del asiento delantero. No estaba a la vista, pero todos sabíamos donde estaba. Sabía que si llegaba el momento y nos topábamos con la gente de ese carro, yo sería el que apretara el gatillo. Lo haría por Huero. Aunque no lo pude salvar, sí puedo encargarme del que se lo llevó. Así son las cosas en la calle. Había oído hablar de eso toda mi vida, y ahora me estaba convirtiendo en uno de ellos: un pandillero.

En las semanas siguientes al funeral, empecé a salir aún más con Frankie y sus amigos. Había una que otra fiesta de gente fumando y drogándose. No era lo mío, pero yo estaba cambiando por la partida de Huero. No quería estar en casa y ver su cuarto vacío, sus juguetes, sus dibujos por todas partes, incluso el que hizo de mí y Frankie y el LeMans que estaba en el refrigerador. Mamá usaba imanes para mantener el dibujo en su sitio. Uno de ellos era una pequeña foto de Huero en su uniforme de Ligas Menores. Me encantaba ese chamaco.

Mi madre puso unas velas y un rosario alrededor de una imagen de él en el rincón de su dormitorio. Era como tener una pequeña iglesia en nuestra casa, pero eso me hizo enojar aún más. ¿De qué sirven las oraciones cuando el hermano de uno ya está muerto?

Una noche, Frankie dijo que tenía algo especial para mí. Estábamos en la casa de un chamaco llamado Oscar. Ya era tarde. Había un montón de gente que yo conocía de mi escuela, la Secundaria Zamora. Algunos eran mayores que yo, algunos que habían abandonado la escuela, pero había otros que yo no conocía. Frankie me llevó al patio de atrás. Debía haber como cincuenta personas ahí. Algunas chicas estaban bailando, mientras los chicos les echaban el ojo. Otra gente estaba sentada en grupos, bebiendo y riéndose. La música estaba muy alta.

"Chequeen esto, vatos. Él se va a unir a la familia".

Mientras yo miraba, un chico de mi edad dio un paso adelante y todos formaron un círculo a su alrededor. Entonces, cinco chicos le brincaron encima. Le dieron puñetazos y patadas al chico, que hizo poco para defenderse, salvo levantar las manos para protegerse la cabeza. Trató de mantenerse en pie, pero un golpe le dio al chamaco en la mera mandíbula y lo mandó dando vueltas al suelo en medio de una nube de polvo. Los otros lo golpearon durante un rato y luego se detuvieron. Él rodó por el suelo durante unos minutos y lentamente se puso de pie. La multitud clamó, y unos chicos en grupo llevaron al chamaco golpeado hacia una silla para que pudiera sentarse. Entonces le dieron una cerveza.

"Es tu turno, Martín. Vamos, vato. Sé que no tienes miedo. Todos están esperando por ti".

¿Y qué voy hacer ahora? Yo tenía años conociendo a Frankie, y ahora él era lo más cerca a un hermano que me quedaba. Y allí estaba él hablando de la familia.

Lo siguiente que pasó, fue que yo estaba parado en el círculo, y los chamacos comenzaron a golpearme. ¿Sabes cuando en los dibujos animados se ven estrellitas sobre la cabeza cuando los golpean? No podía creer eso, pero era la verdad. Si te dan un golpe en la cabeza lo suficientemente recio, empiezas a ver cosas.

Me madrearon bien gacho, me pegaron más que todo en el cuerpo. No voy a mentir. Sí me dolió, pero nada como el dolor que llevo por dentro. El dolor que sentí cuando murió Huero era peor que cualquier cosa que esta bola de montoneros me pudieran hacer.

Un chico me dio en la mandíbula, me volví loco y me le fui encima. Yo estaba diciendo algo, pero no sé lo que era. Yo me le fui encima como si ése fuera el chico que le disparó a Huero. Tal vez por un segundo pensé que él era. No me recuerdo. Pero sí me acuerdo de lo que decía Oscar.

"Chécale a Martín! Está tronado. Se volvió *loco*!"

Tenía tanto coraje, que no podía ni controlar los golpes que tiraba. No me preocupa para nada lo que pasara. Cada vez que tiraba golpes, los otros vatos me golpeaban más recio. Me alcanzaron a dar algunos golpes sólidos unas cuantas veces, y empecé a gruñir como el perro rabioso que Huero se había encontrado un día. Tenía mal de rabia, y espuma blanca chorreándole del hocico, antes de que la gente de la Perrera Municipal se lo llevara para matarlo. Cuando Frankie finalmente me apartó, yo estaba hecho un desastre. Saliva con sangre en la barbilla y pelo polvoriento. La camisa rota, moretones por todos lados. Hasta los moretones tenían moretones.

Tres chicas bonitas que estaban viendo menearon la cabeza y se reían de mí como si yo fuera un payaso o algo así. Vi a un chamaco escupir la cerveza porque estaba casi ahogándose, no podía dejar de morirse de la risa. Era como si yo fuera el entretenimiento, un *freak show* para que se divirtieran. Me daba más coraje al ver sus sonrisas mientras estaba sufriendo por dentro por lo de Huero.

"¿Qué me miran?" dije yo entre dientes.

"Cálmate, mano. Martín, ya tú eres uno de nosotros. En adelante te vamos a cuidar las espaldas", dijo Frankie, cuando me jaló fuera del círculo. Parecía como si estuviera orgulloso, como si yo fuera una especie de trofeo para él. Algunos chavos echaron porras cuando Frankie me sacó. Incluso, uno me echó cerveza encima.

"Cálmate, vato", dijo el chamaco. La cerveza me ardía en las cortaduras de la cara. Debería haberlo masacrado a golpes.

Frankie me dejó en casa después de la medianoche. Pero mamá estaba despierta cuando llegué allí. Su rostro se puso blanco cuando me vio, como si estuviera a punto de vomitar.

"¡Mijo!" exclamó con voz vacilante, echándome los brazos encima. "¿Qué te pasó?"

"Pos´ nada, Ma. Yo estoy bien", dije, encogiéndome de hombros mientras la ignoraba e iba rumbo a mi habitación. Sólo de mirarla me sentía culpable.

A la mañana siguiente, un oficial de policía, Nelson Ramírez, vino a nuestra casa. Él era un amigo de mi madre, que patrullaba afuera del Wal-Mart donde ella trabajaba. Él y mi madre habían estado saliendo por un tiempo, pero ahora son sólo amigos. Parecía que mi mamá siempre le decía que viniera cuando pensaba que yo necesitaba una de esas "pláticas de hombre a hombre". Como si supusiera que yo debo dejar que este hombre se crea mi padre o algo así dizque sólo porque tiene una placa. Cada vez que venía de visita, yo volteaba los ojos porque él siempre actuaba como si lo supiera todo. Él es una de esas personas que te dice lo que tú piensas.

"¿Estás bien, Martín?" preguntó. "Imelda . . . quiero decir, tu madre dice que tú tal vez tengas algo que quieras decirme".

"No tengo nada pa´ contarle a usted", le dije. Se supone que la policía tenía que estar investigando el caso de Huero. Pero yo sabía que eso no iba a suceder pronto. Los niños son baleados todos los días en el barrio, y yo no he visto a la policía, como en las películas, cuando cachan al malo. Sobre todo para gente como yo que ni viven en los suburbios ni conducen buenos carros.

"Esos chavos con los que tú andas te van a hundir, Martín. Especialmente Frankie. Él puede actuar como si fuera tu amigo, pero él no tiene nada de bueno".

"¿Por qué no se ocupa mejor del tipo que le disparó a mi hermano y deja a mis amigos en paz?" le respondí. "El problema no son ellos".

Meneó la cabeza, suspiró y se alejó. Entonces lo oí hablar con mi mamá en la sala. Yo no sabía lo mucho que esa conversación iba a cambiar mi vida.

"No puedo perderlo a él, Nelson", le oí decir. "Eso me mataría. Él lo es todo para mí".

Debería haber salido a decirle lo que ella quería oír. "No me vas a perder, Ma". Pero no me atreví a hacerlo. Me sentía culpable, pero no me importaba. Era como si estuviera muerto por dentro, como si mi corazón se hubiese vuelto gris y se hubiese podrido una vez que Huero falleció.

Todo lo que quería era la sangre de la persona que le disparó a mi hermano.

Y nada más.

"Nos vamos a mudar, mijo", mi madre me dijo una semana después. Yo estaba a punto de salir con la pandilla cuando me lo dijo. "Me voy de aquí antes de que te pierda". Ella estaba secando los platos en el fregadero, y yo estaba parado en la entrada de la puerta.

"¿Qué?"

"Yo sé lo que están haciendo. Tú, Frankie, y el resto del grupo están buscando a la persona que le disparó a Huero. Y si lo encuentras, te vas a desgraciar la vida o te van a matar. No puedo dejar que hagas eso".

"No me voy a mudar", le dije. "Yo me quedo aquí".

El vaso que tenía en la mano se le cayó en el fregadero y se hizo añicos, pero ella no pareció darse cuenta. Sus ojos estaban ardiendo de la ira.

"¡No! Vas a venir conmigo, y así te podré salvar, mijo. El Sr. Ramírez me ayudó a encontrar otro apartamento que yo puedo pagar. Tú vas a ir a la escuela Secundaria Bluford. Ahí es más seguro, y estarás lejos de Frankie y todo eso". Ella agitaba la mano moviéndola en forma circular, como si todo nuestro mundo estuviese envenenado.

"Bluford?" Yo había oído hablar de esa escuela sólo unas pocas veces. Sabía que estaba en otra parte de la ciudad en donde había más negros. En mi escuela la mayoría eran chicanos, con algunos negros y uno que otro blanco. "Para allá no me voy", le dije.

"¡Para allá te vas!" gritó ella, viniendo hacia mí como si quisiera golpearme. "O lo haces, o me vas a matar, mijo. ¿Entiendes? Tú eres mi único hijo. Mi último bebé. Eres todo lo que tengo en este mundo, y este mundo está tratando de arrancarte de mí. Lo veo en tus ojos", dijo, poniéndome las manos en la cara. El contacto con sus manos casi me quemaba por dentro. También pude ver sus lágrimas nuevamente. Por un segundo, sentí que mis ojos ardían, pero me lo pude sacudir.

Afuera, oí el ruido del carro de Frankie. Por fin él llegaba en un buen momento. Tuve que alejarme de mi madre. Ella me había causado un gran dolor. "Tengo que irme", dije, y salí.

"*¡Martín!*" gritó ella, pero yo cerré la puerta.

Todavía podía oír su voz cuando llegué al carro de Frankie. Ella gritó de la misma manera que hizo cuando se enteró de que Huero estaba muerto. Era como si ya me hubiese perdido, como si fuese un muerto viviente.

"¿Que te pasa, compadre? Estás todo callado", Frankie me dijo cuando me senté en el asiento del pasajero.

Le conté a Frankie y a los muchachos los planes que tenía mi madre.

"*¿Bluford?*" dijo Chago. "Hombre, ¿para qué tu mamá va a hacer eso? Yo no conozco a nadie que vaya a esa escuela. Es como si fuera otro país por lo que he oído".

"Mi amigo tenía una prima que estudiaba allá", dijo Jesús. "Ella se fue a la universidad hace unos años".

"*La universidad*", dijo Junie. "No hay nadie en mi familia que haya asistido a una universidad".

Todo el mundo se quedó callado. Todos sabíamos que el padre de Junie trabajaba como técnico de televisores, y su madre era una empleada doméstica.

No había nada de raro en eso. Todos nuestros padres tenían trabajos así. Mi mamá era cajera.

"¿Por qué ella quiere que asistas a Bluford?" preguntó Chago.

"Ella dice que quiere salvarme", dije.

"¿Cómo es que te va a salvar separándote de tu familia?" dijo Frankie, aspirando una bocanada de humo de su cigarrillo.

Lo miré y él pisó el acelerador. El LeMans rugía y se sacudía mientras marchaba hacia adelante, y abrí la ventana para dejar que saliera el humo de Frankie y para despejar mi cabeza.

Mi familia. Ya yo ni siquiera sabía lo que eso significaba.

Esa misma noche, llegamos a otra fiesta, y me metí en una pelea con un chamaco que tropezó conmigo. Sé que no debía haberlo hecho. El chico chocó conmigo por accidente al doblar una esquina. Un poco de su bebida, un refresco de cereza, se me derramó en la camisa. De una vez lo encaré. Yo estaba buscando una excusa para crear problemas. Y eso es exactamente lo que él me dio.

"Lo siento, hombre", dijo el chamaco. Parecía nervioso. Podía verlo en sus ojos y en lo trémulo de su voz, como las ondas en un charco cuando lo golpea una roca.

"Será mejor que te fijes por dónde caminas o podrías resultar lastimado, vato", le dije, dándole un empujón.

Él dijo algo, y sin pensar lo lancé contra la pared y lo golpeé. Me sentí mal aún mientras lo hacía. Él no podía conmigo. Él era más débil y más lento que yo. Él no estaba preparado.

Mis puños se estrellaban con toda la fuerza contra su suave estómago. A medida que le pegaba, sentí ardor nuevamente en mis ojos, como si me hubiera entrado humo en ellos. Pero nadie estaba fumando cerca de mí en ese momento. En cambio, mis cuates estaban parados alrededor de mí, mirándome como si yo fuera un bicho raro. Como si yo tuviera una enfermedad de la que ellos tenían miedo de contagiarse.

El chico levantó las manos para defenderse, incluso mientras caía. Yo hasta le hice retroceder una vez al pretender atacarlo de nuevo. Yo fui un malo y una bestia, pero me sentía bien al desquitarme con alguien. Con cualquiera. Incluso este pobre chico tonto que no me conocía a mí ni yo a él. Un chamaco más que debería haber estado en casa tranquilo con su familia, y no tirado en el suelo.

"Él ya está listo, Martín. Vamos. Vámonos", dijo Frankie, jalándome para atrás. Me mantuve en posición un minuto más, esperando que el chico tratara de levantarse. Pero él era demasiado inteligente como para querer hacer eso.

Vas a venir conmigo y así podré salvarte, mijo.

Las palabras de mi madre seguían haciendo eco en mi mente como esas canciones de la radio que uno detesta pero que sigue oyendo dentro de la cabeza.

Miré al chamaco. Estaba encogido y asustado. No tenía ni idea de lo que pasó ni del por qué.

"¿Puede ella salvar esto?" me dije, volteándome hacia mis cuates con los brazos extendidos. Estos son mis nuevos hermanos. Aunque son un pobre substituto por él que más quise y que perdí. Una vez más, me comienza el ardor en los ojos.

Frankie me miró con recelo. "Vámonos, vato".

Escupí delante del chamaco, preguntándome lo qué su mamá iba a decir cuando finalmente él llegara a su casa.

Más tarde en la noche, aterricé en donde Nilsa, la hermana de Frankie. Tenía veinte y pico años de edad y tenía un hijo. Ella sabía que no debía preguntarnos ni a mí ni a Frankie acerca de nada de lo que habíamos hecho esa noche. Yo sabía que no dormiría mucho pero al menos no tendría que volver a casa y verle la cara a mamá.

Sin embargo, no me sentía cómodo en el sofá de Nilsa. Un resorte roto me picaba constantemente, y había juguetes puntiagudos metidos entre los cojines.

En un momento cuando me di vuelta, sentí algo duro topándome detrás de la cabeza. Metí la mano y saqué una pistola de juguete. Yo estaba solo en la habitación, que estaba todo negro a excepción de los dígitos del reloj de la vídeograbadora de Nilsa, pero me eché a reír a carcajadas.

El arma de juguete me hizo reaccionar. La forma en que me topó ahí mero en la cabeza en donde Huero recibió el disparo. Sé que era sólo un juguete, pero está rete gacho que un juguete se vea exactamente igual al arma que acabó con la vida de tu hermano. Eso demuestra que al mundo se lo está llevando la fregada. No estoy sermoneando. Yo jugaba con pistolas de juguete también. Lo mismo hacía Huero. Pero hay que reconocer que eso está bien fregado.

Eran alrededor de las 4:00 de la madrugada, y yo estaba acostado en el sofá pensando en todo esto y riéndome. No porque fuera algo chistoso. Sino porque, ¿qué otra cosa se puede hacer? No soy como mi mamá. Yo no voy a llorar. Huero sigue muerto. Todas las lágrimas del mundo no van a cambiar eso. Sólo mis cuates y yo podíamos hacer algo con respecto a eso.

Pero yo sabía, que no muy lejos, mi mamá estaba en casa preocupándose por mí. Podía sentirlo. Probablemente estaba arrodillada delante de la foto de Huero orando para que yo llegara a casa a salvo. En mi mente, podía ver su cara en medio del resplandor rojo de las velas de oración que trajo de nuestra iglesia, con lágrimas rodando por sus mejillas, y un klínex todo estrujado en la mano.

Podría haberla llamado para decirle que yo estaba bien. Frankie tenía un teléfono celular, y me dijo que podía usarlo. Pero no lo hice.

En vez de eso, la dejé preocupándose toda la noche. Le iba a demostrar que yo no me dejaría controlar por ella. Especialmente mientras que mis carnales y yo todavía tuviéramos que cobrarnos la deuda de lo que le hicieron a Huero.

Pero cuando llegué a casa al día siguiente, mi mamá me tenía una sorpresa.

Era justo después de las 11:00 de la mañana del domingo, cuando Frankie me dejó en casa. Lo hice así calculando que mi madre todavía estuviera en la iglesia. Por lo menos así no tendría que toparme con ella tan pronto yo entrara por esa puerta. Pero me equivoqué.

Tan pronto como entré me la encontré de pié en la sala. Tenía los ojos hinchados y enrojecidos, como si no hubiera dormido en una semana. Su cabello estaba despeinado, y se veía agotada.

"Vámonos", dijo.

Me di cuenta que detrás de ella se veía nuestro pequeño apartamento completamente vacío. Nuestro viejo sofá,

31

las mesitas y la televisión ya no estaban. Todas las fotos de la familia que estaban en la pared habían desaparecido. Incluso en nuestra pequeña cocina, que se podía ver desde la puerta principal, no quedaba nada. Los pobres gabinetes de metal se quedaron abiertos y vacíos. El aire olía a limón y cloro, como pasaba cada vez que mi madre limpiaba.

"Vámonos, mijo", dijo ella con voz fuerte y seria.

"¿Dónde están todos nuestros tiliches, Ma?"

"Están en nuestro nuevo hogar. Te dije que nos mudaríamos, y eso es lo que estamos haciendo. Ahora. Vamos", dijo ella, tratando de llevarme hacia la puerta.

"No voy pa' ningún lado, Ma", dije, negándome a hacerle caso.

"Esta no es tu decisión, Martín. Tú sólo tienes dieciséis años de edad. Todavía soy tu madre, y vas a venir conmigo. ¡Vamos!" ordenó.

Di un paso atrás. Ella no me había hablado así desde que yo era un chamaquillo. No estaba seguro de cómo responder. Me fui hacia mi habitación para tratar de librarme de ella y casi me caigo. Todas mis cosas habían desaparecido. Mi cama. Mis cuadros. Mi habitación entera. Todo había desaparecido. Había incluso marcas en la alfombra por donde había pasado la aspiradora. Me había vaciado la habitación.

La recámara de Huero estaba vacía y limpia también. Como si él nunca hubiera vivido allí. ¿Cómo pudo haber hecho eso?

"¿Dónde están nuestras cosas?" le grité, mi rabia creciendo como un ojo que se hincha depués de un trancazo. "¿Qué has hecho, Ma?"

"Conseguimos otro departamento, Martín. Empecé a empacar ayer por la noche cuando te fuiste. Llamé a algunas personas de la iglesia y ellos me ayudaron. Todas las cosas están en la nueva casa. Vamos", dijo.

"No voy a ninguna parte. Ésta es mi casa, y aquí me quedo ", dije, dando un paso hacia ella y encarándola como si fuera otro chamaco buscándome bronca en la calle. Yo era más alto que ella, y podía sentir las venas en mi cuello latiendo con intensidad. Me sentía lleno de la fuerza que da el coraje, como si tuviera alcohol corriéndome por las venas.

Pero me respondió en seguida, y su voz se ponía cada vez más fuerte, haciéndola parecer más grande que nunca.

"¡No, mijo! ¡Ésta es *mi* casa! Yo pago el alquiler. Yo pago las cuentas. Y tú eres mi hijo. Te voy a llevar conmigo, y nos vamos ahora mismo. Fin del cuento". Me volvió a jalar del brazo para llevarme con ella.

Me volteé pa'l otro lado y levanté la mano. Estaba a punto de estallar como una ampolla inflamada.

Ella se sobresaltó por un instante, preparándose para recibir una bofetada mía. Pero no retrocedió.

"¿Ahora vas a pegarle a tu madre?" dijo, con un destello de miedo en sus ojos. "¿No me digas que ya te perdí?"

Parpadeé, bajé la mano, y me alejé.

Era como si me hubiese clavado un cuchillo en el corazón, como si me hubieran cortado las piernas con un machete. Allí estaba yo, haciendo temblar de miedo a mi mamá. Allí estaba yo, su orgullo y su alegría, asustándola de la misma forma en que mi padre lo hacía. Me estaba convirtiendo en un monstruo.

"No sé qué me pasa, Ma", le dije,

incapaz de mirarla. Me apoyé en el borde de la pared de la habitación de Huero y empecé a dar topes con la cabeza contra el yeso. No sé como era posible, pero el dolor se sentía bien, era algo así como que tenía lógica.

"Vente conmigo, mijo", dijo. "Vámonos de aquí".

Mi mamá me condujo a su carro igual que lo hacía cuando yo era un chamaquillo y estábamos en un estacionamiento lleno de carros.

Me senté junto a ella, con mi cabeza en las manos, mientras ella rezaba en silencio, se hizo la señal de la cruz, y entonces dejamos nuestro barrio para siempre.

Capítulo 3

"Sólo cálmate por un rato, vato. Casi se te bota la canica la otra noche. Hasta te he oído riéndote dormido. Qué fregado", dijo Frankie.

Se sabe que no es nada bueno cuando un hombre con una cicatriz de una puñalada en el estómago y una pistola en el carro te dice que te calmes.

"No me gusta esto. Es como si estuviera en la cárcel o algo así", le dije. Yo estaba parado en un teléfono público en la calle donde se encontraba el otro departamento. Mi madre se había negado a poner un teléfono en nuestra casa porque ella quería mantenerme incomunicado de mis amigos. Ella usaba un teléfono celular para todas sus llamadas. Me dejaba usarlo, pero sólo delante de ella.

"Es por tu propio bien. Necesitas buscarte nuevos amigos. Los que tienes ahora sólo te van a meter en problemas", fue lo que dijo mamá cuando tomó su decisión. Ella me hizo sentir como si fuera un chamaco de tres años. No me importa, de todas maneras. Ella no puede evitar que yo consiga algo de feria y llame de un teléfono público.

"Martín, voy a encontrar a la persona que le disparó a Huero", Frankie me aseguró. "Y cuando lo haga, vamos a venir por ti. En este momento, tu estás demasiado lejos como para poder hacer nada, así que quédate tranquilo".

Odiaba que Frankie estuviera en lo cierto. Mi madre nos mudó pa'l otro lado de la ciudad. Para volver a casa, tenía que hacer un viaje de cincuenta minutos con varias paradas de autobús, que yo tenía que pagar. No me podía librar de esto, estaba atrapado.

Colgué el teléfono y empecé a caminar. Cualquier cosa para pasar el tiempo. Después de ver tanta televisión a mitad del día ya uno comienza a volverse loco.

El nuevo barrio era completamente diferente al de la otra casa. Primero, había gente negra por todas partes, viejos y jóvenes, en la calle. De donde vengo yo, casi todo el mundo es chicano o mexicano. Teníamos algunos vecinos negros, pero en realidad nosotros no nos juntábamos con ellos, ni ellos con nosotros. Esa era la regla, y nadie decía nada.

Es lo mismo con los blancos. Ellos no viven ni cerca de nosotros, y siempre parecían asustados cuando daban algún giro equivocado y terminaban llegando a mi calle. Pero no parecían asustados cuando buscaban una empleada mexicana o alguien para que les cortara el zacate, o recogiera sus cosechas. Para ellos, éramos todos iguales, a pesar de que mi mamá era una estadounidense de tercera generación y casi nunca habla en español.

Si algún día llego a tener una casa con patio, quiero contratar a gente blanca para que me corten el zacate. Sólo porque sí.

Además de los negros, vi una pequeña tienda propiedad de quienes supuse eran chinos. También había una pizzería llamada Niko´s. Esas personas eran blancas, pero no hablaban en un idioma que yo conociera.

Por la calle más transitada que pasaba cerca de mi casa, encontré un restaurante que se veía elegante llamado el Golden Grill. Todos los carros aparcados en el estacionamiento estaban muy bien y eran nuevos. No *lowriders* con llantas cromadas ni radios con bajo de esos que retumban. No me impresionó.

No muy lejos del Golden Grill estaba una nevería llamada Scoops. Una chamaca blanca bonita de pelo rubio estaba trabajando allí. Le saludé con la cabeza mientras ella limpiaba la ventana del frente, pero me ignoró. Todo bien, no me importa. Las güeras no son mi tipo.

Me fui a otra calle, y rápidamente cambió la vibra del barrio. Las casas estaban más pegadas, y había carros dañados alineados a lo largo de la calle. Algunas de las casas tenían rejas en las ventanas y las puertas. Otras se veían descuidadas con necesidad de una mano de pintura. En una señal de pare de la esquina habían pintado un símbolo con aerosol que yo no reconocía. A la palabra "Stop" la habían pintado de plateado, y debajo de ella alguien había escrito la palabra "Go".

Dos chamacos negros de jeans holgados me chequeaban mientras yo caminaba.

"Q´ubo", dijo uno de los chamacos. Estaba parado en la esquina, y tenía puesto una sudadera negra de capuchón. Llevaba la capucha holgadamente sobre la cabeza, aunque hacía calor afuera. Parecía de mi edad.

"Q´ubo", le dije. Yo había vivido en la ciudad el tiempo suficiente para saber que no te metes por vecindarios de otras personas a menos que supieras a dónde te dirigías y lo que estabas haciendo. Y si no lo sabías, actuabas como si lo supieras. Así que me fui a la esquina como si ese era el lugar a dónde quería ir. Entonces me di vuelta hacia la calle principal. No estoy diciendo que ´taba asusta´o. Pero no soy tonto, y estas calles eran un nuevo territorio para mí.

Volví hacia la pizzería y le pregunté a una anciana cómo llegar a la Escuela Secundaria Bluford. Ella tenía una bolsa llena de comestibles, y me miró como si yo tuviera cara de peligroso.

"¡Por favor!" pensé. *Yo no le haría daño a una anciana.*

Sin embargo no podía enojarme con ella. A mis carnales y a mí y nos miraban así cada vez que íbamos en grupo a cualquier lado. Una vez Frankie le preguntó la hora a un tipo en una esquina, y el hombre nos miró y nos dijo: "Yo no tengo dinero". ¡Cómo si Frankie le fuera a robar su billetera o algo así! Sin embargo, cuando la gente comienza a tratarte como si fueras un criminal, uno empieza a creérselo. Si ese hombre le hubiese dado algo de dinero a Frankie, apuesto a que se lo habría guardado. Yo sé que lo habría hecho.

Hace tiempo, una vez me llevé la bicicleta de un chamaco cuando me la encontré tirada afuera sin protección. Y una vez, Chago y yo nos robamos la radio de un carro que habían dejado sin cerrar. Pero eso fue hace dos años, mucho antes de que le dispararan a Huero. Yo era una persona diferente en ese entonces. A pesar de que hicimos esas cosas, ninguno de nosotros íbamos a robar a una persona. Y mucho menos, a una anciana. Eso sería una bajeza.

Le sonreí a la mujer para que supiera que yo no estaba allí para hacerle daño. Mi sonrisa en estos días está un poco sosa, pero funcionó. Después de una caminata de diez minutos siguiendo las direcciones que me había dado, me encontraba de pié frente a mi nueva cárcel, aparte de la de mi de casa: la Escuela Secundaria Bluford.

La escuela estaba un poco más allá pasando una tienda de comestibles. Por un lado del terreno había algunas casas y un pequeño parque. En el otro lado, en medio de un cerco protector, se hallaba Bluford. Un edificio de ladrillo y cemento que parecía una fortaleza gigante.

Cabrían dos secundarias del tamaño de Zamora dentro de Bluford. Era así de grande. Detrás de la escuela había una pista de atletismo que rodeaba un campo de fútbol americano de tamaño completo. Tenía gradas grises de metal a cada lado, y podía ver un enorme cartel en letras azules y amarillas que decía: *"Hogar de los Bucaneros de Bluford"*.

El letrero hizo que me dieran nauseas, como cuando uno come demasiada comida rápida. Yo sabía que el año escolar estaba por comenzar. Ya había escuchado los estúpidos anuncios de regreso a la escuela en la radio, pero al ver el letrero en el campo de fútbol, todo se me hizo más real.

No voy a mentir. Odio la escuela. Todo empezó en el cuarto grado cuando mi maestra, la Sra. Simon, no me dejó pasar de grado.

"Martín tiene problemas de atención y de comportamiento", dijo con una voz que parecía más salir de la nariz que de la boca.

Lo que la Sra. Simon no sabía es que esto pasó justo antes de que mi papá se fuera, cuando todavía bebía y golpeaba a mi mamá. Ma nunca admitiría algo así delante de nadie, especialmente a mi maestra. A mí sólo me quedaba repetir el grado. Después de eso, la gente comenzó a tratarme como si yo fuera un idiota, y entonces dejé de tomar con seriedad a la escuela. Mi mamá, y aún hasta mi papá por un tiempo, siempre fueron muy estrictos e insistían en que yo hiciera mi mejor esfuerzo, pero yo me había dado por vencido hacía ya mucho tiempo. En vez de eso, sólo andaba sin dirección, pasaba el tiempo con mis amigos, sin hacer mucho esfuerzo, esperando el verano. Pero con la muerte de Huero, la escuela ya no tenía sentido. Me parecía más bien una broma de mal gusto.

Estaba pensando en todo esto cuando un guardia de seguridad se me acercó a mí desde el interior de la cerca.

"¿Estás llegando tarde para la práctica, joven?" me preguntó en voz alta el guardia. "Todavía se puede entrar si vas por delante".

Detrás de él, pude ver a algunos estudiantes salir al campo de fútbol americano.

"Na, estoy bien", le dije, dándole la espalda, tratando de no reírmele en la cara al guardia. No tenía tiempo para el fútbol americano de la escuela secundaria, ni para entrenadores, ni jugadores, ni todo ese rollo. Eso es no es para mí.

Y tampoco lo era Bluford.

La mañana de mi primer día en la Escuela Secundaria Bluford, mi madre me miró con sus ojos brillantes y llenos de esperanza. Como si fuera mi primer día de kinder, y no el décimo grado. Tuve que hacer un gran esfuerzo para no subirme a un autobús e irme a casa.

"Vas a tener un nuevo comienzo aquí, mijo. No más pandillas".

"Sí, Ma".

"Trata de hacer que Huero y yo estemos orgullosos de ti", dijo, dándome un beso. Se le cayeron lágrimas de sus ojos otra vez. Sabía que las lágrimas eran por Huero, y no por mí.

"Lo haré, Mamá", le dije, alejándome de ella y pensando en el día en que Frankie y yo atrapáramos a ese pistolero.

"Y trata de volver a ir a la iglesia. Ha pasado mucho tiempo desde que estuviste por allí, mijo".

"Está bien, Ma".

Lo bueno es que ella no podía oírme volteando los ojos.

Bluford era un laberinto de pasillos con estudiantes de primer año yendo y viniendo como gatos en un callejón. Yo también era nuevo, pero no estaba dispuesto a andar de esa forma. Más bien actuaba como si estuviera con mis cuates, tomándome mi tiempo para llegar a donde se suponía que debía ir.

Me puse los jeans más holgados que tenía, una camiseta blanca, y los tenis blancos. Me colgué el crucifijo de oro del cuello por debajo de la camisa, y me corté el pelo bien bajito, al estilo César. Mi aspecto siempre encajaba bien en Zamora. En Bluford, yo estaba seguro que iba a desentonar, pero no me importaba. Yo era demasiado cool como para andar corriendo, y estaba demasiado enojado como para preocuparme. Yo no quería estar allí, y quería que todo el mundo lo supiera.

Llegué tarde a mis clases. Era el primer día, así que a mis dos primeros

45

profesores no parecía importarles. Pero luego me fui a mi clase del tercer período: Inglés.

"Todos ustedes son estudiantes de segundo año ahora, así que espero que lleguen a tiempo todos los días", dijo el profesor, mientras yo entraba con cinco minutos de retraso. El profesor, un hombre negro de piel canela con una camisa del color del carro de Frankie, estaba de espaldas a mí.

Me detuve y me encogí de hombros, en busca de un asiento. Mi sincronización era perfecta.

Un par de estudiantes se rieron, y una muchacha bonita de pelo negro ondulado me regaló una amplia sonrisa. Me rasqué la barbilla, tratando de parecer cool.

"Disculpe, Don Mitchell, pero usted tiene un invitado", dijo un tipo desde la tercera fila. Era muy musculoso y mostraba una amplia sonrisa. Me di cuenta de inmediato que no me caía bien.

"Gracias, Steve", dijo el Sr. Mitchell, dirigiéndose a mí. "¿Puedo ayudarle en algo?"

"Sí, creo que estoy en este curso", le dije. Veinticinco pares de ojos me escanearon como si estuviera en venta. Los miré hasta que algunos de ellos voltearon la mirada hacia otro lado.

"¿Es usted Martín Luna?" dijo, chequeando una lista en su escritorio. "¿Un estudiante de transferencia de la Escuela Secundaria Zamora?"

"Sí". Algunos estudiantes se rieron al oír el nombre de mi escuela secundaria.

"Bien. Estás en el lugar correcto. Ahora, Martín. Has llegado tarde", dijo con una sonrisa extraña. No estaba seguro si él estaba enojado o no, y estaba distraído por su corbata. Era de color rojo brillante y tenía una imagen de un personaje de dibujos animados. Piolín, creo.

"Tuve problemas con mi casillero", le dije rápidamente, una excusa que siempre funciona en el inicio del año escolar.

El Sr. Mitchell asintió con la cabeza por un segundo como si estuviera pensando en lo que dije. Sin embargo, me miraba fijamente, como si sus ojos fueran lupas. "Bueno, espero que no tenga problemas para mañana con el casillero. Pase y tome asiento".

Oí algunos murmullos a medida que me dirigía a la última fila en el lado izquierdo del salón. Me gustaba sentarme en la parte de atrás donde podía ver a toda la clase. Además, es el mejor lugar para estar cuando uno no hace su tarea.

La chava con el pelo oscuro estaba sólo a una fila adelante de mí y a una hilera hacia un costado. Desde mi asiento, podía ver su pelo largo que se extendía hasta la mitad de su espalda.

"Bueno, Martín, bienvenido a nuestra clase y a la secundaria Bluford. Soy el Sr. Mitchell, y como acabo de decir a sus compañeros, espero que lleguen a tiempo a menos que exista una razón de peso para no estar aquí. ¿Entendido?" dijo.

Asentí con la cabeza, rascándome la barbilla.

"Es el sueño una buena razón, porque siempre estoy cansado tan temprano en la mañana", dijo un chamaco desde la última fila en el lado opuesto del salón. Me di cuenta de que estaba tratando de ser gracioso, pero creo que la broma no era tan buena, a pesar de que varios estudiantes se rieron.

"Roylin, eso es porque te pasaste todo el verano vacilando en el campo de fútbol americano", dijo Steve, riéndose de su propia broma.

"Cállate, Morris", dijo Roylin, visiblemente molesto.

"A menos que los dos quieran continuar con este debate después de clases toda esta semana, les sugiero a ambos que presten atención", dijo Mitchell. "Tenemos mucho trabajo por hacer".

"Por supuesto, Sr. Mitchell", dijo Steve con una sonrisa que se extendía de oreja a oreja. Era el tipo de chamaco que siempre tenía la última palabra, el tipo de chamaco que yo no podía soportar.

Me recosté en mi silla y me desconecté de todo. Yo vi al Sr. Mitchell pasar algunos papeles hacia atrás y veía como los chamacos empezaban a leer, pero mi mente se fue hacia Huero y luego hacia mis cuates. Me preguntaba cómo Frankie y los chicos la estarían pasando en el vecindario. Me imaginaba a Huero en su primer día en el kinder hace varios años. Estaba tan asustado, que mi mamá tuvo que acompañarlo hacia el autobús. Después de unos días, la escuela se convirtió en su lugar favorito.

"¿Qué te parece, Martín?" oí decir al señor Mitchell. Su voz me trajo de vuelta a la realidad.

"¿Ah?" Yo no tenía ni idea de lo que estaba pasando. De alguna manera treinta minutos se habían esfumado.

"Despierta, hombre", dijo Steve.

"Basado en el relato que acabamos de leer, y lo que has visto en tu vida, ¿qué crees que es lo que convierte a una persona en un héroe?" el Sr. Mitchell preguntó. Me di cuenta por el tono de su voz que estaba repitiendo la pregunta. También pude ver que él sabía que yo no había estado prestando atención.

Traté de pensar con rapidez. No tenía ni idea de qué se trataba el relato, y la pregunta me molestó. "Yo no conozco a ningún héroe", dije. "Y si lo conociera, no confiaría en él".

El Sr. Mitchell asintió con la cabeza. "¿Alguien quiere ayudar a Martín?"

"Un héroe es fuerte y rudo", dijo Steve. "Alguien que no da marcha atrás".

"Bueno, Steve, pero, ¿todos los fuertes son héroes?" el Sr. Mitchell preguntó, a medida que escribía las palabras de Steve en la pizarra.

Entonces la chava de pelo largo y de amplia sonrisa levantó la mano. "Creo que un héroe es alguien que hace lo correcto, incluso si eso significa que podría meterse en problemas. Al igual que alguien que defiende a las personas que no son tan fuertes como Steve".

Algunos estudiantes se rieron. Me gustó su respuesta.

"Muy bueno, Vicky", dijo el señor Mitchell, anotando su respuesta debajo de la de Steve. "¿Así que estás diciendo que un héroe es alguien que hace lo que tiene que hacer?" preguntó, con un brillo en los ojos. "¿Puede darme un ejemplo?"

En ese momento, sonó el timbre.

"Salvados por la campana", dijo el Sr. Mitchell. "Vamos a hablar más sobre esto mañana. Su tarea esta noche consistirá en escribir un párrafo sobre una persona que sea un héroe para ustedes. Traten de dar detalles sobre esta persona para que los lectores puedan entenderlos. No les voy a dar una calificación por eso, así que no se preocupen. Sólo tienen que escribir".

No lo podía creer. Tarea. En Zamora, yo apenas la hacía de vez en cuando, pero pude ver que el señor Mitchell no me dejaría hacer eso.

"Recuerde, Martín. Llegue a tiempo mañana", me dijo mientras yo salía.

Me mordí la lengua. Mi maestro y yo sin duda íbamos a tener problemas. Yo lo sabía.

Vicky iba frente a mí mientras me dirigía hacia el pasillo lleno de gente. Ella hablaba con otra chava de nuestra clase.

"Teresa, ¿por qué se me ocurrió salir con Steve?" dijo Vicky. "Él es un idiota".

"No es *tan* malo" dijo Teresa.

Me reí en voz baja al pasar a Vicky. Por lo menos había una cosa de Bluford que me gustaba.

Capítulo 4

El resto de mi primer día en Bluford fue tan lento y pesado como el primer carro de Frankie, un Chevette con un motor medio fundido. Historia de EE.UU. con la Sra. Eckerly era aburrida, pero me topé con un chamaco divertido llamado Cooper. Algebra II con el Sr. Singh fue aún peor. Para cuando llegué a biología con la Sra. Reed, ya estaba listo para irme a casa.

Después de la sala de tareas en donde escuché a una chica fresa llamada Brisana hablar sobre una fiesta del fin de semana, me fui a mi última clase, educación física con el Sr. Dooling. Estaba ya cansado cuando finalmente encontré el gimnasio. Pero tan pronto como entré en el vestuario, vi a Steve Morris. Estaba dándole la mano a un chamaco que estaba a su lado. Cuando se quitó la camisa, me di cuenta que tenía cuerpo de atleta. Era mucho más grandote que yo o que cualquiera de mis carnales.

"¿Puedes creer esto, Clarence?" dijo. "Un día, muy pronto, voy a darle lo suyo a Roylin".

"Hombre, tú lo matarías", dijo Clarence.

"Sí, pero hasta que termine la temporada de fútbol americano, no puedo meterme en problemas. El entrenador me echaría del equipo". Me di cuenta que todo el mundo en esa sección del vestuario estaba callado, como si Steve fuera alguien especial.

En el interior del gimnasio, el Sr. Dooling, un hombre mayor que parecía tan cansado como yo, tomó la asistencia y mandó a nuestra clase a dividirse en grupos para jugar al baloncesto. Lo admito. El baloncesto no es mi deporte, y no soy ningún LeBron James. Así que me puse a un lado junto con un par de chavos más y vi a Steve salir a la cancha.

"¿Quién quiere jugar conmigo?" dijo lanzando un desafío, mientras rebotaba una pelota contra el piso del gimnasio.

Una vez que el juego comenzó, él era como un animal en la cancha, quitando el balón y bloqueando tiros. Los otros chamacos no le llegaban ni cerca. Vi a un chamaco, más pequeño y más rápido que los demás, tratando de defender la canasta. Los brazos del chamaco estaban extendidos, y tenía los pies plantados, pero Steve pasó a través de él como si no estuviera allí. Allá iba el tiro de Steve mientras el otro tipo quedaba aplastado en el suelo como si hubiera sido atropellado por un tren.

"Así se hace", se jactaba Steve, golpeándose el pecho. Clarence chocaba la mano con Steve en señal de triunfo.

El otro muchacho quedó tirado en el piso de madera agarrándose la cabeza por varios segundos antes de levantarse lentamente, tambaleándose. Toda la escena me había caído muy mal.

"Tranquilo, Morris. Esto no es fútbol", advirtió el Sr. Dooling.

"Si lo fuera, él no podría ni levantarse", se jactó de Steve.

De vuelta en los vestuarios, Steve siguió hablando de su juego de baloncesto.

"Hombre, ¿viste cómo voló ese chamaco? Eso me gustó", dijo.

"Steve, acabaste con él. Lo va a pensar dos veces la próxima vez que entre en la cancha contigo", dijo Clarence. Parecía andar detrás de Steve como perro esperando las sobras.

Traté de ignorarlo mientras esperaba en fila para salir, pero entonces Steve describió cómo había golpeado al chamaco. "Yo hice así como PAM", dijo él demostrando el golpe y luego riéndose de eso. Clarence se reía con él.

Tal vez fue porque yo estaba cansado. Tal vez fue porque odiaba Bluford, o tal vez fue porque extrañaba a Huero, y algo acerca de ver a ese chamaco en el suelo me molestó. No estoy seguro. Todo lo que sé es que de pronto no pude soportar más a Steve.

"Hombre, ¿cuántas veces vas a seguir hablando de lo que hiciste?" le dije. "No requiere mucho talento pegarle a alguien que es la mitad de tu tamaño".

Un par de chamacos que estaban parados junto a mí se quitaron de ahí, y Clarence parecía un poco extrañado, como si nunca antes hubiera oído a nadie decirle la verdad a él.

"¿Te conozco?" preguntó Steve, mirándome de arriba a abajo.

"Tú sí me conoces", le dije.

"Tú eres ese idiota de Zamora que está en mi clase de Inglés, ¿no?"

"No, tú eres el tarado de Bluford que está en *mi* clase de Inglés", le dije, dando un paso adelante.

Los ojos de Steve se cerraron un poco.

Solté mis libros. Quería que mis manos estuvieran libres, por si acaso.

¿Era yo peligroso? ¿Era yo un pandillero? Eso es lo que él estaba pensando. Aunque no lo dijo, yo podía verlo en su rostro. No estaba seguro de quién yo podía ser.

El timbre que marcaba el final del día de clases sonó, y los chamacos empezaron a irse rápido.

"Vamos, Steve. Tenemos que ir a la práctica", dijo Clarence.

"Tú y yo vamos a continuar esto luego, Sánchez", dijo Steve.

"Eso espero", le dije, mirándolo hasta que dobló la esquina.

"Eso fue genial", dijo un chamaco chaparro detrás de mí en el vestuario. Casi me reí.

Frankie y los chicos estarían orgullosos de mí.

"¿Cómo pasaste el día, mijo?" me preguntó mi madre cuando llegó a casa. Se le veía cansada. Yo sabía que el sitio adonde nos mudamos le quedaba más lejos del trabajo. Llegaba a casa una hora más tarde de lo habitual.

"Estuvo bien, mamá", le dije, mientras seguía cambiando los canales en la tele.

"¿Conociste a gente nueva? Háblame de tus clases".

"¿Qué quieres que te diga?" Yo no estaba de ánimo para eso.

"¡Martín!"

"¿Quieres la verdad, Ma? Te la voy a decir. Yo no tenía ganas de hablar con nadie. Llegué tarde a todas las clases, y casi me meto a pelear con un grandulón. Ese fue mi día".

"No me hagas esto", dijo, dejándose caer en una silla de la sala.

Yo no lo podía evitar. Si me preguntan cuando estoy tranquilo, yo podría decir que no quiero hacerle daño a mi madre. Pero desde que murió Huero, casi no ha habido calma.

"¡*Usted* fue la que me hizo esto a mí, Ma! Ahora usted está actuando como si se supone que todo estuviera perfecto. Pero *no* lo es", le dije bruscamente.

Ella respiró hondo y miró hacia arriba como si estuviera diciendo una oración.

"Martín, lo hice por *ti*".

"¡Bueno, pues eso no era lo que yo quería!" Yo estaba que casi estallaba de ira.

"Muy bien, entonces, ¿qué es *lo* que quieres?" me preguntó ella, parada frente a mí. "¿Martín Luna? ¿Quién es ése? Ah, ya sé, creo que lo entiendo. ¿Es el vago del barrio que vive allá abajo al final de la calle? ¡No, no! ¿El chamaco que quiere faltar a clases todo el día? Espera, ya lo sé. Es el tonto que quiere ponerse un blanco en el pecho como diciéndole al mundo: '¡Aquí estoy, vengan por mí!' ¿Eso es, Martín? ¿Ahora sí le atiné?"

Apagué la tele y lancé el control remoto contra la pared. Yo quería meterle un puño a algo.

"Siento que esto sea tan duro para ti, Martín, pero si lo yo hubiera hecho antes, quizá Huero no habría estado en la calle buscándote", dijo, secándose las lágrimas. "No voy a perder a otro hijo".

Mi mente quedó atrapada en sus propias palabras, como una camisa enganchada en un clavo.

Tal vez Huero no habría estado en la calle buscándote.

Ella estaba haciendo alusión a algo que yo nunca me permití decir, algo que constantemente me perseguía en mis pesadillas, que alimentaba mi ira, y me asustaba más que la muerte misma.

"¿Crees que fue por mi culpa, no es cierto?" le dije. La habitación se quedó tan callada que hasta el silencio parecía resonar con fuerza. Los ojos de mi madre se pusieron grandotes. Ese momento es una herida invisible que nunca se cerrará.

"No hagas eso, Martín".

"Dime la verdad, Ma. Tú crees que es mi culpa. Estás tratando de castigarme".

"¡Martín!" dijo, poniendo la mano sobre mi hombro.

La hice a un lado y salí con furia de la casa.

"¿Adónde vas?" me gritó, pero no le hice caso.

Tuve que salir de ahí. Lejos de sus ojos que me decían que yo fui el culpable. Lejos de todo el que me pudiera ver y que supiera lo que había hecho.

Pero no importaba a dónde caminara esa noche, no había lugar en la tierra que fuera lo suficientemente oscuro para poder ocultarme, el hermano mayor que había fallado.

Al día siguiente, me sentía como un fantasma mientras iba camino a la escuela. A pesar de que me escurrí de vuelta a mi casa alrededor de las 3:00 de la mañana, no pude dormir en absoluto, y cuando llegué a la clase del Sr. Mitchell, se me hizo tarde otra vez. Yo no había hecho los deberes tampoco.

Abrí la puerta sin hacer ruido y fui rápidamente al último pupitre de la fila. Vi a Steve, pero no iba a perder mi tiempo con él.

"Sr. Luna". Oí la voz del Sr. Mitchell, mientras me sentaba. Ya conocía ese tono de voz. Era el que me indicaba que estaba en problemas.

"Sí," dije. "Déjeme adivinar. Me cachó llegando tarde, ¿cierto?" Yo no iba a andarme con jueguitos; ya sabía lo que venía.

"¿Hay alguna razón por la que llegas tarde?" me preguntó, haciendo caso omiso de mi comentario.

Steve se volvió en su asiento y me miró. Había una sonrisa de satisfacción en su cara que me indicaba que estaba disfrutando verme metido en problemas. Vicky me miró también, pero luego se volteó para el otro lado.

"No. Sólo llego tarde otra vez", le dije. Varios estudiantes se quedaron perplejos, como si lo que yo dije no había sido en un lenguaje comprensible.

"Ya veo", dijo el Sr. Mitchell rápidamente. "Vamos a discutir esto después de clases. Tengo una cita hoy, por lo que tendrá que ser mañana a las 3:00. Voy a estar pendiente".

"¿Para qué?" le dije en tono desafiante, parado frente a mi pupitre. Sabía que debía calmarme, pero no pude.

El salón se quedó en silencio, y pude sentir los ojos de todos pasándome por encima de la camisa negra y los jeans.

"¿Estás seguro de que su nombre no es Martín Lunático? A él como que se le bota la canica", murmuró Steve.

"Siéntese, Martín. Podemos hablar de esto después de clase", dijo el Sr. Mitchell.

Yo quería tirar mi pupitre y estrellarle mi silla encima de Steve. Casi podía ver la expresión en su cara cuando le cayera la silla arriba. Y, sin embargo, sabía que Steve no me había hecho nada malo. Sólo palabras. Eso no era nada. Yo estaba casi fuera de control. No sé cuánto tiempo me quedé así, tal vez cinco o diez segundos, antes de que me sentara de nuevo.

El Sr. Mitchell parecía aliviado y al instante comenzó su lección. Me sequé el sudor de la frente, cogí mi cuaderno y un bolígrafo y comencé a actuar como si fuera un estudiante.

Pero yo sólo escribí una palabra en mi cuaderno: H U E R O.

Debajo de la palabra, dibujé unos ojos, los ojos tiernos y alegres de mi hermano. Los que veo cada noche mirándome desde la bici.

Después de la clase, el Sr. Mitchell me llamó a su escritorio.

"¿Estás bien, Martín?" me preguntó. Él me dio esa mirada como que me estaba hablando en serio, pero yo no estaba dispuesto a compartir mis asuntos personales con él.

"Estoy bien", le dije. "Lo que pasa es que tengo un montón de cosas en la cabeza, eso es todo".

"Yo sé que no es fácil cambiar de escuela. ¿Cómo te va con todo aquí en Bluford?"

Me sentí como si estuviera en uno de esos tontos programas de noticias donde el periodista se acerca a una persona a quien se le acaba de quemar la casa y le dice: "Entonces, ¿cómo se siente ahora que no tiene un lugar para vivir?" Tenía que alejarme de ese hombre y su corbata púrpura que esta vez mostraba un dibujo de Bugs Bunny.

"En la escuela todo está perfecto, Sr. Mitchell. Todo bien. Yo no le cambiaría nada". Lo dije tan sarcásticamente como pude, esperando que él entendiera la indirecta y me dejara ir. "Voy a llegar tarde a mi próxima clase", le recordé.

"Bueno, Martín, entiendo. Pero déjame decirte esto. Si alguna vez quieres hablar, o si hay algo de la casa o de la escuela que te esté afectando, me lo dices. Yo también en mis tiempos tuve que pasar por muchas cosas, y tal vez pueda ayudar".

"Lo que usted diga, Sr. Mitchell", le dije con una sonrisa fingida.

"Bien. Así que espero verte llegar a tiempo al aula mañana y después de clases a las 3:00, ¿verdad?" Sonrió esta vez. Asentí con la cabeza sólo para sacármelo de encima.

"Y no se olvide de traer su tarea a la clase también", dijo.

Salí del salón tan pronto como pude. El hombre me hizo sentir como si estuviera bajo un reflector, y después de todo lo que había pasado yo, lo único que quería era estar en las sombras. Me estuve quieto el resto del día, tomé algunas notas, y me senté en la fila de atrás, tratando de mezclarme entre los otros estudiantes, mientras hacía lo posible para pretender que la conversación con mi madre nunca había sucedido.

En la clase de educación física, me encontré con Steve otra vez. Venía saliendo de los vestuarios cuando yo iba entrando.

"Oye, Lunático", dijo. "Fue todo un espectáculo el que diste en la clase del Sr. Mitchell. ¿Vas a hacer eso aquí también?" Antes de que pudiera responder, ya él se había ido.

Tiré mis libros en el casillero del gimnasio. No quería perder el control de nuevo.

"Ese tipo es un imbécil", dijo una voz detrás de mí. Era el mismo chico que Steve había derribado el día anterior.

"En eso tienes razón", le dije. "No sé cuánto más podré aguantar".

"Él ha sido así desde la escuela secundaria, pero ha empeorado ahora que es el corredor titular del equipo de fútbol americano. Los dos vivimos en la misma cuadra, pero todo el mundo lo trata como si fuera Dios o algo así".

"No me importa quién sea. Si sigue actuando así, va a recibir una sorpresa de mi parte".

"No te metas con él. El equipo de fútbol americano es casi como una pandilla por aquí".

Casi me reía de la palabra: *Pandilla*. Este muchacho no conocía el significado de esa palabra.

"¿Cómo te llamas?" preguntó el chamaco.

"Martín. Martín Luna".

"Q´ubo, Martín. Me llamo Eric", dijo, estrechándome la mano. "Eric Suárez".

Casi me caigo. El único Eric que había conocido era mi hermano.

"¿Estás bien?" preguntó Eric.

"Sí, estoy bien", dije, tratando de no darle más cabida a los recuerdos. "Vámonos a clase".

"Hola, Martín. ¿Ya hiciste tu tarea de redacción?"

La pregunta me tomó por sorpresa. Ya era el final de clases, y estaba en la escalera principal que daba a la salida de la escuela. Me volví a ver a Vicky. Ella estaba justo detrás de mí, vestida con unos jeans blancos y una chamarra azul claro.

Teresa estaba con ella. Por una fracción de segundo, me dio una mirada que ya conocía de antes: la de las chicas fresa que miraban por encima del hombro a los chicos como yo. Lo vi en su cara tan claro como si ella llevara una camiseta que dijera: "Martín Luna no tiene nada de bueno. Manténgase alejado de él".

Sin embargo, Vicky se veía bien. *Muy bien.* El tipo de chica que provoca mirarla a pesar de que uno no sea para ella.

"No", dije. Para ser franco, no estaba seguro de qué decir. Las chicas con las que yo andaba en las fiestas nunca hablaban de tareas, y la mayoría de las chicas de Zamora que eran estudiantes serias no me prestaban atención ni a mí ni a mis amigos.

"Yo tampoco", Vicky dijo rápidamente, como si estuviera nerviosa. "Todo lo que escribo parece sentimental, ya sabes, el tema ese de los héroes. Aunque me gustó lo que dijiste ayer en la clase. Eso fue . . . auténtico".

Sus ojos eran tan intensos. Yo sabía que ella había sido sincera con lo que dijo. El sólo verla me despejó la cabeza por primera vez ese día.

"OK, Vicky, tengo que irme. Llámame más tarde", le dijo Teresa, dándole una mirada a Vicky como diciéndole: "¿Cómo se te ocurre hablar con él?"

"Nos vemos, T," dijo Vicky.

Me sentí medio mentiroso porque yo ni había pensado en la tarea de nuestra clase de redacción. Sin embargo, Vicky hizo que me dieran ganas de pensar en eso. ¿No es eso un poco raro? Frankie se habría reído de mi si lo supiera. *Te estás ablandando, vato, me habría* dicho. Menos mal que no estaba allí.

"También me gustó lo que tú dijiste. Apuesto a que a Steve no le cayó muy bien", le dije. Quería ver cómo reaccionaría ella cuando mencionara su nombre.

"Oh, no me hagas a hablar de Steve. De lo único que se preocupa ese chico es de él mismo. Es como si todo el mundo existiese sólo para decirle que él es el mejor. Cuando dejas de hacer eso, él se enoja contigo".

"Sí, he visto algo de eso. Estamos en la misma clase de educación física", le dije al pasar por el estacionamiento que quedaba sobre la calle de Bluford.

"Lo siento por ti", dijo con una sonrisa.

"Todo está bien. Él no me impresiona. ¿Y qué si él es atleta? Conozco a gente que lo haría huir de espanto de cualquier campo de fútbol americano".

Vicky miró de reojo, como si algo de lo que dije le molestó.

"¿Estás bien?" le pregunté.

"¿Qué pasa con ustedes, los hombres?" dijo. Me di cuenta que era una de esas preguntas de la que no se esperaba respuesta. "Para ustedes, todo siempre se trata de ganar o perder. Claro, es bueno ganar, pero entonces alguien tiene que perder, salir lastimado, o lo que sea. Estoy harta de eso".

Empezó a caminar rápido. Pude ver que estaba molesta. Había un fuego en sus ojos. En realidad, la hacía parecer aún más bonita, aunque yo sabía que no debía decirle algo así.

"¿Estás diciendo que debo comprarle a Steve una flor cada vez que empiece a presumir?" dije, tratando de bromear.

"No", se quejó ella, dándome un empujoncito juguetón. Había una pequeña sonrisa tratando de liberarse de su rostro, pero ella estaba luchando contra ella. "Nos vemos mañana en clase", dijo, doblando en la esquina siguiente.

La vi alejarse, con su largo cabello ondeando hacia mí con cada paso que daba.

Capítulo 5

No conozco a ningún héroe. No existe ningún Superman en mi vida. Dejé de buscarlo desde que yo era un chamaco. Era mejor que quedarme decepcionado todo el tiempo. Hace casi dos meses, había alguien que me miraba como si yo fuera un héroe. Ese era Huero, mi hermano, y ya se ha ido.

Garabateé las palabras en mi cuaderno de redacción después de cenar y luego lo cerré con fuerza. No podía creer lo que yo estuviera escribiendo. ¿A quién estaba tratando de engañar? Yo sabía que lo que escribí no era lo que quería el Sr. Mitchell. Y voy a ser franco. Estaba demasiado asustado para seguir adelante. Sólo esas pocas frases hicieron temblar mi mano como me pasa cuando tomo mucho refresco. No pude continuar.

"Me alegra tanto verte haciendo la tarea, Martín", mi mamá me dijo, acercándose detrás de mí mientras yo estaba sentado en la mesa.

Ella puso la mano en mi espalda como lo hacía cuando yo era pequeño. Por un segundo, me sentí otra vez como si tuviera ocho años. No dije nada, pero no le quité mano.

"Todo va a salir bien para nosotros aquí, mijo", dijo. "Yo lo creo".

Yo no podía hablar porque mis palabras de repente se sentían como un nudo en la garganta. El mundo parecía tan retorcido. Pude haber discutido con mi madre, pero no lo hice. No sé por qué, pero dejé que me tocara, sin mencionar nuestra última conversación, que todavía flotaba en el aire como una sombra invisible.

Al día siguiente no fui a clases.

En realidad, no había planeado hacer eso. Incluso me había preparado para mostrarle al Mitchell mi párrafo, sólo para quitármelo de encima. Pero cuando me vestí y por fin salí del departamento, no tenía la fuerza de voluntad para a ir a la escuela. Cuanto más cerca estaba, más difícil se me hacía cada paso. Finalmente, me di la vuelta, y me fui a la casa, tomé un puñado de dólares, y me dirigí a la estación de autobuses.

Unos minutos más tarde, estaba sentado en un autobús que se dirigía de vuelta a mi antiguo barrio. Pensé que una vez llegara a casa me iba a encontrar con Frankie, y la íbamos a pasar bien. Como en los viejos tiempos, me dije. Pero eso era mentira. Sabía que los viejos tiempos se acabaron cuando enterramos a Huero. La verdad es que lo único que necesitaba era alejarme del nuevo apartamento, de la tarea que me hizo estremecer, del profesor que tengo encima, la muchacha bonita que me desafió.

Tenía que alejarme de Bluford.

Después de un viaje de treinta minutos, el autobús estaba tan lleno que había gente parada en el pasillo. A mi lado, una anciana de raza blanca que llevaba un ramo de flores estaba luchando para mantener el equilibrio. Le sonreí, y ella se volteó sin decir palabra, como si estuviera asustada de mí.

Su mirada me hizo sentir muy bajo,

ya sabes. A sus ojos, yo tenía la culpa, y ella ni siquiera me conocía. Yo no podía soportarlo.

"Disculpe", le dije.

Un golpe sacudió al autobús y se agarró del borde de mi asiento. Sus dedos parecían raíces de árboles viejos de esas que crecen en la superficie del suelo. Pero ella no me hizo caso.

"¿Señora? Perdóneme", le dije otra vez.

Esta vez se dio la vuelta lentamente. Una vez más, sus ojos mostraban que estaba nerviosa.

"¿Quiere sentarse?" le dije. "Le puedo dar mi asiento".

La mujer vaciló. Sabía que sería más seguro para ella que se sentara, pero pude ver que ella pensaba lo contrario. "Está bien", le aseguré. Necesitaba que me creyera, que creyera que yo podía hacer algo bueno. No sólo asustarla.

"Claro que sí. Eso estaría bien", dijo por fin, mirándome con cautela.

Me levanté y me hice a un lado para que ella pudiera sentarse. Estoy seguro de que estaba contenta de tener un autobús lleno de gente a su alrededor para cuidarla.

Afuera, las calles que iban pasando

empezaron a parecer conocidas. Yo estaba cada vez más cerca de casa.

"Gracias", oí decir a la mujer con una voz carrasposa.

"No hay de qué, señora", le dije. Traté de actuar como si no fuera nada del otro mundo. Más adelante, vi la torre del campanario de nuestra iglesia, San Ignacio. La tumba de Huero estaba sólo a pocas cuadras de distancia. No había ido allí desde el funeral.

El ramo de flores de la mujer rozaba mi brazo y yo lo miraba.

"Son para mi marido", dijo. "Murió hace tres años. Iba a visitarlo la semana pasada, pero no pude. No siempre es fácil hacer las cosas cuando llegas a mi edad. Ya verás", dijo mientras sonreía.

"Siento lo de su marido, señora", le dije. Volví a sentir el ardor en los ojos. No sé por qué ha sucedido esto en el autobús. Tal vez las flores me daban alergia o algo así, no sé.

Yo no podía imaginarme que viviría lo suficiente como para llegar a viejo. Y tampoco podía hacer frente a la idea de llegar a viejo sin mi hermano menor. Todavía no puedo. Tenía que hacerle una visita. Tan pronto como el autobús se acercó al cementerio, tiré del cordón para indicarle al conductor que parara. Cuando se abrió la puerta, me bajé y vi que la mujer venía detrás de mí. Ella bajaba por las escaleras lentamente, pero en su rostro se veía tal determinación que no sabía si debía ayudarla. Sin embargo, lo intenté.

"Gracias por ser tan caballero", dijo amablemente. "Eso no se ve ya con mucha frecuencia".

"De nada", le dije, mirando el mar de lápidas que se remontaba desde la carretera.

"Hay demasiada gente muerta", Huero dijo una vez cuando pasamos por el cementerio hace años. El comentario pareció tan gracioso en el momento que me reí a carcajadas. Ahora sólo me hace daño.

"No hace falta que me lleve hasta allá, hijo. Puedo hacerlo yo misma", me dijo la señora cuando llegó a la esquina frente al portón. Creo que todavía no se sentía totalmente segura de mí.

"Estoy aquí para ver a alguien también, señora", le expliqué. "Mi hermanito menor".

El rostro de la mujer se suavizó al instante, como si se hubiera encendido un interruptor dentro de ella. A pesar de que yo podía clavarle la mirada a cualquier tipo en la calle y hacerle voltear la cara, no pude mirar a esta anciana a los ojos. No en ese momento.

"Oh, no", dijo, su voz apagándose por un segundo. "Ningún joven debería pasar por ese dolor", dijo, poniendo su mano temblorosa y llena de venas en mi brazo. Un segundo después, metió la mano en su ramo de flores y sacó una rosa roja. "Aquí tienes, toma", insistió. "Dásela a tu hermano".

Tomé la flor, pero no podía ni hablar para darle las gracias.

Juntos nos dirigimos al cementerio. La anciana se fue por un lado, y yo me fui por otro. Éramos dos personas que no podían haber sido más diferentes. Pero aquella mañana me sentí más cerca de la mujer de pelo blanco, que de nadie que yo conociera.

Eso está de la fregada.

Cuando llegué a la lápida de Huero, me senté en el suelo y sentí la cálida tierra bajo mis piernas. Había paz y tranquilidad.

"Te extraño, hermanito", le dije en voz alta. Entonces le dije todo lo que había pasado desde que murió. Le conté lo de la mudanza y lo de la nueva secundaria. Incluso mencioné a Vicky para que Bluford no sonara tan deprimente.

"Frankie y yo todavía somos carnales", le aseguré como si eso le importara a Huero. Todo lo que Frankie realmente hacía era ayudarme a ahuyentarle a Huero.

Puedo jurar que hasta el día de hoy sigo oyendo el chirrido de la bicicleta y viendo los ojos de Huero.

Lo único que no podía decirle a Huero era lo que Frankie y yo estábamos planeando. Simplemente no me sentía bien imaginando que Huero supiera que nosotros le íbamos a disparar a alguien.

Cerca de allí, un joven y su novia estaban haciendo lo mismo que yo, sentados frente a una lápida y hablando en voz alta a alguien enterrado en el suelo. Algún ser querido que se murió.

No creas que esto sea raro. Si tú no has pasado por esto, eres muy afortunado. Algún día perderás a un ser querido. Igual que todos. Cuando sea tu turno, acuérdate de mí y de Huero.

Dejé la rosa de la anciana en el borde de la lápida de Huero y me dirigí adonde Frankie. Eran como las 11 de la mañana cuando llegué allí.

"¿Q´ubo, vato?" dijo en cuanto me vio. Estaba arreglando su LeMans, como de costumbre. Algunas cosas no han cambiado. "¿Qué tal Bluford? No muy bien si ya estás por aquí", dijo, riéndose de su comentario.

"Bluford es una porquería, Frankie. Odio ese lugar".

"¿Alguna chica linda?" dijo. "Tienes que presentármela, mano".

"Una. Pero no es tu tipo", le dije. "Es demasiado inteligente para ti".

Frankie se echó a reír. Por un minuto pretendí que todo era como en los viejos tiempos, pero sabía que no era así. El extraño silencio que llenaba el aire como una nube de humo era prueba de que todo había cambiado.

"Entonces, ¿qué pasó? ¿Cómo llegaste aquí?"

"Tomé un autobús. Luego fui a visitar a Huero. La primera vez desde que . . . tú sabes".

Frankie encendió un cigarrillo y no dijo nada. Es lo que siempre hacía cuando algo le molestaba. Encendí la radio de su carro, sólo para cortar el silencio.

"Vamos a despacharlos, Martín.

Chago y yo hemos 'tado haciendo averiguaciones. Le hice a él y a Junie que se buscaran unas armas de fuego. Estamos cada día más duros, vato. Esta noche, Chago va a verse con Lisa, esta chica que conoce gente en todas partes. Yo te apuesto a que ella sabe algo. Confía en mí. Tan pronto como el carro aparezca, lo sabremos".

Me sentía como si le estaba escuchando de lejos. Como si tuviéramos una mala conexión telefónica o algo así.

"Mi mamá piensa que fue mi culpa".

"¿Qué?"

"Ella dijo que si yo no hubiera estado en la calle, Huero no habría recibido un disparo. ¿Y sabes qué, Frankie? Ella tiene razón, hombre. Nadie estaba buscando a Huero. Tú también lo sabes. Estaba justo en el lugar equivocado en el momento equivocado por mi causa", le dije, mientras pisoteaba una lata de cerveza contra el concreto. "¿Sabes lo que es peor, Frankie? Él me miró pidiéndome ayuda. Podía verlo en sus ojos, hermano".

"¡Cállate, vato!" gritó Frankie. "Tú no jalaste el gatillo. No es como si supieras lo que estaba pasando. No te puedes andar culpando porque nunca hiciste nada para merecer eso", dijo, tomando una larga bocanada de su cigarrillo y tirando la colilla a la calle.

"Yo nunca te he dicho esto, pero supuse que ya te habías dado cuenta porque eres inteligente. Pero, esa bala probablemente era para mí, vato", dijo Frankie, mirándome más serio que nunca. "Yo soy el único en nuestro grupo con una cierta reputación. El resto son sólo aspirantes, a excepción de ti, Martín. Tú puedes llegar a ser algo algún día".

Me senté en la acera. Mi cabeza estaba a punto de explotar. Las palabras de Frankie tenían mucho sentido. Cada vez que todos salíamos, parecía que el mundo entero conocía a Frankie. Incluso se llegó al punto en donde el resto de nosotros estábamos casi celosos de él. En las fiestas, la gente decía su nombre como si fuera una estrella de televisión o algo así. Su herida de cuchillo, su misterioso pasado, su disposición para pelear y su auto no hacían sino acrecentar su reputación. Comparado con él, el resto de nosotros no éramos nada.

Pero nunca pensé en quién habría

sido el verdadero blanco de la bala que mató a Huero. Al igual que el periódico, yo simplifiqué la historia: "Niño de 8 años, asesinado a tiros en una balacera por asunto entre pandillas". Desde el principio, mi respuesta fue muy simple. Sólo hay que atrapar a la persona que lastimó a mi hermano. Ahora, Frankie acababa de hacer la situación más complicada.

"¿Cuánto tiempo llevas pensado en todo esto, Frankie?"

"Desde el principio. Pero no importa. Tú y yo somos familia. ¿Te acuerdas? Cuando alguien mata a tu hermano, es como si me mataran al mío. Así que los dos estamos juntos en esto, vato. Como he dicho, les daremos su merecido tan pronto como los encontremos".

Estoy hablando en serio cuando les digo que todo esto tenía mi cabeza dando vueltas. Me sentía mareado. Sé que Frankie pensó que sus palabras me consolarían, pero no lo hicieron. En cambio, tenía esa sensación persistente que te da cuando sabes que te estás olvidando de algo importante, y que no sabes lo que es.

"Todavía seguimos con el plan,

¿verdad, vato?" Frankie me preguntó, analizando mi cara de forma extraña. "No te me estarás ablandando o sí?"

"No, todavía seguimos con el plan, Frankie. No te preocupes". Pero mientras decía esas palabras, yo estaba pensando que Frankie debió haberme dicho que lo andaban buscando. Si lo hubiera hecho, yo habría encontrado una manera de mantener lejos a Huero. Tal vez podría haberlo salvado.

"'Ta bien, Martín", dijo Frankie, metiéndose en su carro y arrancando el motor. "Vámonos de aquí".

Me pasé el resto del día con Frankie. Después de visitar dos tiendas de refacciones, estuvimos haciéndole la mecánica al carro, nos buscamos unas hamburguesas y recogimos al resto de los muchachos. La pasamos en el garaje de Chago. Junie y Frankie se fumaron una mota. No era la primera vez. Incluso me bebí media cerveza, tratando de fingir que era como el resto de los cuates, ahí con ellos, echando cuentos y pasándola bien.

Pero ¿a quién quería engañar? La cerveza me sabía mal, como a orines de perro. Las bromas de los muchachos no me parecían tan graciosas. Todo ese humo hacía que mi ropa apestara. Y Frankie seguía mirándome. Él sabía que yo había cambiado, pero dudo que supiera por qué.

Eran como las 8:00, cuando Frankie me llevó a casa. Me hizo que lo llevara a Bluford primero para poder darle un vistazo a mi escuela.

"Este no es tu mundo, vato", dijo, mientras chequeaba la escuela, y luego me dirigió una mirada fija.

Asentí con la cabeza. Él tenía razón, pero yo no estaba seguro de cuál era mi mundo. Ya no más.

"Martín, si hay algo que me tengas que decir, debes hacerlo. No es bueno ocultarle las cosas a tu hermano", dijo él una vez que llegamos al apartamento de mi madre.

Sus palabras me parecieron falsas. Si él hubiera seguido sus propios consejos, quizá Huero todavía estaría vivo.

"No te preocupes, Frankie. Cuando tenga algo que decir, lo sabrás".

Capítulo 6

Mi madre estaba sentada en la sala de la casa con el oficial Ramírez cuando entré. Yo no estaba de humor para ver a ninguno de ellos.

"¿Dónde estabas?" Mamá me preguntó tan pronto como entré. Se levantó y se puso delante de mí. "Tú apestas. ¿Qué estabas haciendo?" Sus preguntas salían tan rápido como una ráfaga de golpes.

Yo sabía que lo que decía era cierto. Olía a cerveza y humo.

"En ningún lado, Mamá".

"No me digas que 'en ningún lado'". Hoy recibí un mensaje de tu escuela. Dijeron que estabas ausente". Pude ver que Mamá estaba molesta, pero ella estaba haciendo un gran esfuerzo para mantener la calma, probablemente a causa del oficial Ramírez. " A h o r a , ¿dón-de estabas?"

"Tranquila, Ma," le dije, ignorando su pregunta y mirando al policía. "¿Lo has traído aquí para que me regañe?"

"No, Martín", dijo el oficial Ramírez. "Traje a tu madre a casa desde su trabajo, y pensé que podría chequear cómo te iba. Como van las cosas, veo que podrías necesitar un poco de ayuda".

"Yo no necesito *su* ayuda". Lo único que su ayuda traía eran malas noticias. *No sabemos quién fue el asesino. Tal vez deberían mudarse a un nuevo barrio. Ir a una escuela nueva.*

"Martín, voy a preguntarte esto una vez más. ¿Dónde estuviste hoy?"

La habitación estaba en silencio, y yo miraba a los dos. Aún el oficial Ramírez se veía serio.

"Fui a visitar a Huero, Mamá", admití. "Después de eso fui a ver a Frankie. Voy a ir a la escuela mañana", dije antes de irme a mi habitación.

Nadie dijo nada cuando cerré la puerta de mi dormitorio.

El jueves, llegué a la clase de Inglés a tiempo. No estoy diciendo que lo hice por mi mamá o por el Sr. Mitchell ni por nadie. Simplemente lo hice. No me pregunten por qué.

El Sr. Mitchell estaba de pie junto a la puerta listo para cerrarla tan pronto como sonó el timbre. "Te echamos de menos ayer, Martín. ¿Todo bien?" preguntó.

"Sí, ¿por qué? ¿Usted ve que algo esté mal?" le dije. Parecía un poco dolido por lo que dije, pero no me importó. Él era demasiado metiche.

"Vamos a cambiar la fecha de la detención para esta tarde", respondió a medida que yo pasaba rápidamente cerca de él.

Vicky estaba en su asiento cuando me fui a mi pupitre, pero estaba buscando algo en su mochila cuando le pasé por el lado.

"¿Viene para el juegazo del sábado, Sr. Mitchell?" le preguntó Steve mientras entraba al salón.

"En realidad, voy a estar aquí, Steve. Estoy a cargo de las detenciones del sábado. Tal vez vaya a darle una miradita al juego", dijo el Sr. Mitchell.

"Zamora se va a ir a pique, Sr. Mitchell. Usted debe venir a verme anotar puntos", respondió, dirigiéndose a mí.

Le lancé un resoplido a Steve, sólo para molestarlo. Nunca me importó el equipo de fútbol de Zamora, aunque tengo que admitir que sería bien chido ver a Zamora ganar.

Vicky meneó la cabeza y escribió algo en su cuaderno. Cerca de allí, oí suspirar a Teresa. Esa chica a mí no me da ni la hora.

El Sr. Mitchell comenzó la clase con una discusión de una vieja historia llamada *Beowulf* que la clase había empezado a leer el día anterior. No tenía ni idea de lo que estaba hablando. Algo acerca de un monstruo en el bosque que tenía toda la gente asustada hasta que alguien tuvo el valor suficiente para detenerlo. Nunca oí hablar de ese cuento, pero sonaba como mi barrio.

Siempre hay algo al acecho, que se lleva a los niños.

Al final de la clase, el Sr. Mitchell trajo de nuevo a la discusión el tema de los héroes. "Durante los últimos diez minutos de clase, quiero que trabajen con uno o dos compañeros y vean los párrafos que escribieron de tarea. Sigan los pasos que discutimos ayer y den sugerencias para ayudar a sus compañeros. Este trabajo es para entregarlo mañana".

A mi alrededor, todos los estudiantes empezaron a quejarse. Me recosté en mi pupitre. Odio cuando los profesores te hacen trabajar en equipo. Es como tener gente espiándote cuando estás en la ducha. Lo único bueno fue que me senté en la fila de atrás. Yo estaba seguro de que ninguno de los estudiantes que ahí estaban había hecho su trabajo.

Me volví hacia la derecha y vi que el chamaco ese Roylin me estaba mirando. Aparte de mí, él era el único chavo en la fila de atrás, y tenía esa sonrisa tonta en la cara que me decía que ni siquiera había abierto su libro. Bueno. Por lo menos yo no era el único.

"Martín, ¿por qué no te unes a Vicky y Teresa? Roylin, trabaja con Steve y Darcy", dijo el Sr. Mitchell. La cara de Teresa se arrugó como si acabara de oler las botas de Frankie. Era casi gracioso.

"¿Está seguro de que tengo que tenerlo en mi grupo?" dijo Steve acerca de Roylin.

"Bueno, te podrías quedar conmigo el sábado en vez de jugar en ese gran partido".

Me reí en voz alta junto con otros estudiantes.

"Morris, si tu ego se te llega a poner más grande, no vas a poder meter la cabeza en tu casco", Roylin le respondió.

"Señores. Ya basta. Ustedes están en el mismo equipo. Encuentren la manera de trabajar juntos. Eso es más importante que el fútbol americano el Inglés", dijo el Sr. Mitchell.

Tuve que darle al maestro un poco de crédito. Su comentario los hizo callarse.

Me levanté de mi pupitre y me senté junto a Vicky. Ella estaba anotando algo en su agenda. Ninguno de mis amigos compraría una cosa así. Su letra era tan pequeña, que yo no la podía ni leer, pero me di cuenta de que era perfectamente derechita y pareja, a diferencia de la mía.

"No puedo leer esos garabatos", había dicho mi profesor de Inglés el año pasado. Me saqué una C- en la clase y eso no me preocupó siempre y cuando la pasara.

Vicky parecía lo opuesto de las chicas con las que me juntaba por mi otra casa. Su rostro era tan intenso. Era como si tuviera diez cosas a la vez pasándole por la mente, y todas ellas relacionadas con la escuela. Luisa, la última chica con la que salí, se hubiera reído de alguien como Vicky. Aún cuando Luisa tuviera diez cosas en la cabeza, la escuela sería la número once. Yo no puedo ponerme a criticarla, claro, porque en eso ´tábamos los dos iguales.

Teresa arrimó su pupitre hacia nosotros. Hacía un sonido fuerte como gimiendo cada vez que ella lo empujaba hacia adelante unas cuantas pulgadas a la vez. A medida que se iba acercando, me miraba como si yo fuera un dentista que estaba a punto de sacarle una muela. Me eché hacia atrás y esperé.

"Permítanme decirles que esto que escribí está malo", dijo Vicky, tomando otro cuaderno y volteando las páginas que quería mostrarnos.

"Tú siempre dices eso, Vic, pero sabes que no es cierto", dijo Teresa.

"No creo que haya hecho la tarea bien, y no llegué a terminarla", le dije. La idea de mostrarles lo que escribí sobre Huero me molestaba.

Teresa miraba fijamente a Vicky como si yo no estuviera allí. *Mira, te dije que era un tonto*, decía su mirada.

"Vamos a intercambiarnos las tareas y hagamos lo que el señor Mitchell dijo. Sólo sugerencias".

"Cómo quieras", dijo Teresa.

Nos intercambiamos las libretas. Teresa tenía la mía, Vicky tenía la de Teresa, y a mí me dieron la de Vicky. Sonriendo me la dio. Su largo cabello estaba recogido, y se veía tan bonita que me puse un poco nervioso. No se rían de mí. Es cierto.

Su párrafo trataba de su abuela que había venido de México, y que no tuvo estudios. Cuando llegó a los EE.UU., ni siquiera sabía leer, pero se la arregló para ir a la escuela nocturna, graduarse de la universidad y hacerse maestra. En la redacción de dos páginas, Vicky dijo que su abuela le inspiró a trabajar duro y a valorar la educación. Ahora ella tiene la esperanza de llegar a ser también una maestra.

"Esto es bueno, Vicky", dije, bajando su cuaderno. "Tú deberías leérselo a tu abuela. Le haría sentirse orgullosa".

"No puedo", dijo, con una mirada que no olvidaré. "Ella murió hace dos años".

Me sentía con ganas de patearme a mí mismo. No era la primera vez que decía una estupidez, pero me sentía como si fuera así. "Lo siento", le dije, tratando de pensar en las palabras adecuadas para decir. Mi lengua de repente era un nudo enmarañado.

"Está bien, Martín", dijo, dirigiéndose a Teresa y dándole una serie de sugerencias de como escribir. Ahora era mi turno, y Teresa comenzó sacudiendo la cabeza y frunciendo el ceño.

"No creo que lo que escribiste sea lo que el Sr. Mitchell quería. Está muy corto también", dijo. "Pero supongo que está . . . bien". Teresa dijo esta última palabra como si fuera especialmente difícil.

"Gracias, Teresa", le dije, con ganas de decirle unas cuantas cosas, pero Vicky estaba allí. En su lugar, le fingí una amplia sonrisa. "Eso me resulta *realmente* útil".

"Bueno, vamos a cambiar otra vez", instruyó Vicky. Esta vez yo tenía la tarea de Teresa, y Vicky tenía la mía.

Mi estómago se revoloteaba, a medida que Vicky leía mi breve párrafo acerca de Huero. Yo tenía miedo de que ella pensara que yo era un tonto o algo así, pero ¿qué podía hacer? Yo no era escritor. Después de varios segundos de duración, se pasó hacia atrás los dedos entre el cabello y me miró.

"No sé qué decir", dijo. Teresa bostezó.

"Lo sé. Yo no hice la tarea correctamente".

"No, Martín. Lo que escribiste es tan . . . profundo. Pero no lo entiendo. Es necesario que lo termines. Tienes que explicar lo que le sucedió a tu hermano".

"Alguien le disparó y lo mató". Dije las palabras de la misma manera en que yo te diría mi color favorito, el día en que nací, o el nombre de la hermana de Frankie. Sentado allí frente a Teresa y Vicky, y con toda la clase ahí cerca, no iba a dejar que mi ira explotara.

"Lo siento mucho", dijo ella.

"Está bien, Vicky", le dije. Sin embargo, sentía que algo me temblaba en el interior, algo parecido a los temblores pequeños que tenemos por aquí de vez en cuando. No son tan fuertes como para lastimar a nadie. Sólo lo suficiente para que uno sepa que algo está pasando.

Ella me miró con sus ojos cafés, y pude ver en ellos la tristeza que ella sentía por mí. Me sentí tan desnudo como un bebé recién nacido. Puede sonar tonto decir eso cuando se tiene a una hermosa muchacha en frente de uno. Pero no era como que estaba viendo mi cuerpo sin ropa. Era como si estuviera mirando mis entrañas. Como si yo no tuviera piel. Casi me asusté.

"Lo que escribiste está muy bueno, Vicky", dijo Teresa, cambiando el tono de la conversación inmediatamente. Me alegró de que lo haya hecho. "Yo no cambiaría nada".

"El tuyo fue muy bueno también, Teresa. Muy *bueno*", le dije, respondiéndole con exactamente lo mismo que ella me había dicho a mí".

La verdad es que no había leído ni una sola una palabra de lo que había escrito Teresa. ¡Aunque hubiese tratado del planeta Marte a mí me valía! Yo pensaba en Vicky.

Me tomó todo el día para calmarme después de la clase de Inglés. No pude sacudir aquella sensación que Vicky había dejado en mí. Yo quería hablar con ella, pero no tenía ni idea de lo que iba a decir. Solía creerme muy bueno para hablar con las chicas, pero no con ella.

En la clase de gimnasia, el Sr. Dooling continuó con el tema del baloncesto, y de nuevo me encontré en la cancha. Esta vez, tuve que jugar un poco.

"Vamos, Luna, métete en el juego", gritó el Sr. Dooling cuando me vio en uno de los costados.

Lo siguiente que supe fue que estaba en la cancha rebotando el balón.

Tan pronto como me acerqué a la cesta del equipo contrario, le pasé el balón a uno de mis compañeros de equipo, quien dribló tres pasos, quitándome a los defensas de encima. Entonces enseguida me la pasó de vuelta.

"¡Lánzala!" gritó.

Yo estaba lejos de la canasta, en la línea de tiros libres, pero hacia a un lado. Parecía ser un tiro de salto bastante fácil, incluso para mí. Planté los pies, levanté el balón, extendí mis brazos, y fui a lanzar.

Justo cuando estaba a punto de soltar el balón, por el rabillo del ojo vi algo como una sombra que venía. Una fracción de segundo más tarde, sentí una brisa como la que se siente cuando un carro te pasa por el lado cuando estás en la calle. El balón, que había estado en la punta de mis dedos, fue topado y quitado de mis manos.

"¡Rechazado!" voceó alguien con entusiasmo.

"¿Qué pasó?" dije, dándome la vuelta.

Detrás de mí, pude ver a alguien zigzagueando por la cancha con el balón. Se detuvo brevemente a mitad de camino para driblar por detrás y entre las piernas. Sólo para lucírsela.

El tipo era rápido, y más grande que la mayoría de los chamacos en el gimnasio. Supe de inmediato quién me había bloqueado el tiro. Era Steve Morris.

"Morris, devuelve la pelota y salte de la cancha hasta que sea tu turno para jugar", gritó el señor Dooling.

"Ese sí que te la supo hacer bien, mano", dijo una voz que venía del otro lado. Me volteé a ver y era Clarence que estaba parado allí con una sonrisa estúpida en la cara.

Muchas personas en el gimnasio que conocían a Steve se rieron. Otros chamacos, incluyendo a Eric, me estaban mirando. Muchos tenían esa cara de cuando uno desea que se forme una pelea. Pero ninguno de ellos me conocía, así que no sabían cómo yo iba a reaccionar. Si Frankie estuviera allí, él te podría haber dicho lo que iba a suceder. Probablemente ya lo sabrán.

Empecé a caminar por el otro lado de la cancha hacia Steve. Él todavía estaba luciéndosela.

"No lo hagas, Martín", dijo Eric detrás de mí.

No había nada que me detuviera. Tenía que hacer algo. Aunque no sabía exactamente qué sería.

"Morris, devuélveme la pelota", dijo el Sr. Dooling. Que me sonó a mí como si estuviera rogándole.

"Un solo lanzamiento, Sr. Dooling", respondió Steve.

"¡Encéstala, Steve!" gritaba Clarence. "¡Métela en el aro!"

No puedo soportar a ese chamaco.

Steve miró a la cesta y empezó a driblar hacia ella lentamente, dando los pasos adecuados para poder encestar. No podía dejar que eso sucediera. No a costa mía.

Apuré mi paso en dirección a Steve. Él estaba todavía de espaldas a mí mientras se dirigía a encestar. Yo sabía que él no tenía idea de dónde yo estaba. De repente, empezó a trotar hacia la canasta. Si lo iba a bloquear, me tenía que mover rápido.

Me eché a correr a toda velocidad. Era una carrera contra el tiempo, pero yo iba más rápido porque no tenía que lidiar con la pelota.

Steve dio dos pasos largos, siguiendo una trayectoria curva que le llevaría hacia la derecha de la canasta. Yo seguí en línea recta, haciendo mi trayecto más corto. Éramos como dos meteoros dirigidos hacia el mismo punto.

Cuando él dio el tercer paso y estaba a punto de saltar, me crucé en su camino. Sus brazos estaban levantándose, pero yo le caí a la bola, lanzándola fuera de sus manos. Rebotó duro entre sus piernas y se metió de nuevo en la cancha. Volé fuera de las líneas laterales y casi me estrellé contra la pared de bloques de hormigón del gimnasio.

"Hombre, ¿qué estás tratando de hacer?" dijo Steve mientras yo trataba de estabilizarme.

"¿Cómo que tratando? Vato, si ya lo acabo de hacer".

Levanté las manos y me volteé a mirar a los de mi clase. Al instante, todo el mundo estalló en carcajadas. Parecía que todos, incluso los otros profesores de gimnasia, se detuvieron para ver lo que estaba pasando. Yo también me habría detenido. No todos los días el corredor estrella del equipo de fútbol ameicano quedaba en evidencia por un chico como yo.

"Muy bien, eso es suficiente, ustedes dos", dijo el Sr. Dooling en algún lado detrás de mí.

Caminé hacia mis compañeros de clase sin decir una palabra. Yo no tenía nada más que decir. Pero Steve no lo dejó así.

Capítulo 7

"¿Vas a dejar eso así, Steve?" dijo Clarence. Oí su voz detrás de mí.

"Oye, Steve. Yo no sé quién es ese vato, pero te acaba de dar una lección, mano", dijo otro chamaco.

Recogí la pelota y regresé al centro de la cancha. Yo no iba a dejar que Steve me amedrentara, pero tampoco iba a meterme en problemas por él.

"Muy bien. Oigan todos. Ya es suficiente. Steve, fuera de la cancha", dijo el Sr. Dooling. Steve tenía una mirada de disgusto en su rostro, como si se hubiera tragado un huevo podrido.

"Oye, eso estuvo bien chido, güey", dijo un chavo de mi equipo. Pero otros *me* miraban con extrañeza, como si yo hubiera sido el que hubiese hecho algo malo. No entiendo a algunas personas.

De todas maneras, no importa. Fue uno de los mejores días que he tenido en la escuela en años.

Jugamos hasta que sonó el timbre. Pero tan pronto como todos empezamos a regresar a los vestuarios, escuché pasos que se acercaban detrás de mí.

"¡Cuidado!" gritó alguien.

Me preparé.

De repente, sentí como que algo explotó contra mi hombro, y después me fui de boca al suelo, golpeando mi cara contra el piso duro de madera de la cancha de baloncesto. Varias personas estuvieron a mí alrededor durante unos segundos, bloqueando la vista de los profesores. Todavía me acuerdo de los zapatos. Adidas y un par de botines Nike.

Y luego vi la cara sonriente de Steve.

"No te metas conmigo, Martín. Yo nunca pierdo", dijo, y se alejó. No había ningún maestro a la vista. Todo el mundo estaba en el vestuario.

Me tomó un rato para poder sentarme. Cuando Steve me atacó por sorpresa, el golpe me saco el aire de los pulmones, y jadié como un pez fuera del agua durante varios segundos. En casa, mis cuates me hubieran cuidado las espaldas. Sin embargo, en el gimnasio de Bluford, yo estaba solo. Bueno, casi.

"¿Estás bien?" dijo una voz detrás de mí. Cuando levanté la mirada vi a Eric. Me ofreció la mano para ayudar a levantarme.

"Esto se va acabar", le dije, mientras me agarraba de su brazo. Tan pronto como me levanté, me fui directamente al vestuario.

"Déjalo así", dijo Eric, mientras me seguía.

Muchos chamacos ya estaban en fila para irse a casa, y se me quedaron viendo cuando entré furioso. Estaban demasiado asustados para hacerle frente a Steve a pesar de que sabían que era un pesado.

Oí la risa de Steve a medida que me acercaba a la sección en la que estaba mi casillero. La sangre hervía en mis venas.

"No me importa lo que parezca, Clarence. Ese tipo puede transferirse de vuelta a Zamora, pa' lo que a mí me importa. De todos modos, él no debería estar en esta escuela. Es el cuate más tonto de mi clase de Inglés", dijo.

Clarence se rió en voz alta, como si nunca hubiera oído algo tan gracioso.

"Martín, no lo hagas", me susurró Eric que estaba justo detrás de mí.

"Fuera de mi camino", le dije. Nada me iba a detener.

Steve vio que me estaba acercando. Me puse frente a su cara antes de que los demás me vieran.

"¿Oh, vienes por más, Lunático?" dijo, tratando de hacerse el tranquilo. Una vez más, Clarence resopló.

Sabía que ninguno de ellos esperaba que yo viniera de vuelta. Estaban acostumbrados a que la gente diera marcha atrás.

Steve dio un paso al frente, con una sonrisa más amplia que nunca. Estaba tratando de lucirse delante de la gente que estaba en el vestuario. "¿Hay algo que me quieras decir?" dijo. Él fácilmente era seis pulgadas más alto que yo y probablemente tenía también treinta libras más de músculos que yo.

Pero él no era tan inteligente. Tenía las manos abajo, y yo estaba cerca. Todo sucedió tan rápido que Steve no tuvo tiempo de reaccionar.

Le tiré un puñetazo ascendiente directo a la mandíbula. El golpe fue lo suficientemente fuerte como para derribar a Steve contra su casillero con un estrépito que sonó como una van chocando contra el vestuario.

"¡*Una pelea!*" gritó alguien.

La gente comenzó a saltar por encima de los bancos y darse empujones para conseguir un buen sitio desde donde ver la pelea. Lo mismo habría sucedido en Zamora. No importa lo refinada que pueda ser una escuela, la gente siempre quiere ver una pelea.

"¡Martín, detente! ¡*Martín!*" oí gritar al Sr. Dooling. Muchas manos me agarraron de los hombros. Clarence fue uno de los chicos que me agarraron. Trató de doblar mis brazos para que no pudiera devolver el golpe.

"Levántate, Steve. ¡Dale!" gritó alguien. La voz provenía de uno de los chavos que me tenían sometido en el gimnasio.

Pero el Sr. Dooling se interpuso entre nosotros, y otro profesor de gimnasia separó a Steve de mí.

"¡Hasta aquí llegaste, güey!" dijo Steve, pasándose la mano por su labio hinchado. "¡Hasta aquí llegaste!"

"Ustedes son los que hasta aquí llegaron", dijo el Sr. Dooling. "Vamos. Vamos a la oficina de la directora. Ahora. ¡Muévanse!"

"Pero yo tengo práctica de fútbol", dijo Steve en tono de súplica.

"Bueno, eso es algo que usted puede hablar con la Sra. Spencer", dijo el Sr. Dooling.

"Pero si él no hizo nada, Sr. Dooling", dijo Clarence. "Steve nada más estaba parado aquí, y este tipo se le acerca y le pega".

"Díganselo a la directora Spencer, no a mí. Vamos".

El Sr. Dooling y el profesor nos arrastraron por los pasillos llenos de gente. Las personas se apresuraban para irse a sus casas, pero muchos se detenían para ver que nos estaban llevando a Steve y a mí arrastrados a la oficina de la directora. Era como si fuéramos delincuentes arrestados en público.

Una vez, cuando yo era niño, mi mamá y yo estábamos fuera de McDonalds cuando un grupo de policías encubiertos rodearon un carro y arrastraron al conductor fuera del vehículo. Todos los que estaban en el restaurante corrieron para ver cómo se llevaban al hombre en un carro patrulla.

"Se están llevando a un malhechor, mijo", mi madre me dijo. Ahora yo era uno de los malhechores. Casi podía oír la voz de mi madre cuando recibiera la llamada de la oficina de la directora.

No desperdicies tu vida, diría ella. Y no importa cuántas veces quisiera explicar que no era mi culpa, que Steve me pegó, no me creería. Tampoco la directora. Yo estaba seguro de eso. Supongo que no se les puede culpar, pero aún así, eso no está bien.

Doblamos una esquina y nos dirigimos por el pasillo principal que llevaba a la oficina. Más adelante, mirándonos, estaban Vicky y Teresa. La cara me ardió cuando vi a Vicky. Ella vio mi reacción y se llevó la mano a la boca de preocupación.

No les voy a mentir. He estado metido en muchos problemas en la escuela. Hubo un tiempo en que era genial hacer que los profesores te regañaran. A todos nos causaba risa. No era gran cosa. Pero cuando vi a Vicky, me sentí avergonzado. Deseaba que nunca me hubiera visto así.

"¿Me crees ahora, Vicky?" dijo Teresa cuando me vio. "Te dije que él no era nada de bueno".

Yo quería discutir con ella, pero ¿qué podía decir? Unos segundos más tarde estaba parado y mirando de frente a la puerta de acero con el pequeño letrero que decía "Oficina Principal". El Sr. Dooling nos llevó a una sala de reuniones donde Steve y yo teníamos que esperar sentados en unos asientos de cuero de imitación que soltaron como una especie de silbido cuando nos sentamos en ellos. Esperamos unos diez minutos mientras que el Sr. Dooling y la directora hablaban en privado.

"Ellos te van a fregar, güey. Ya está que te botaron de aquí", susurró Steve en esos momentos. Noté que el personal de la oficina nos estaba observando, así que me mordí la lengua.

"Muy bien, la Sra. Spencer está lista para hablar contigo, Steve", dijo la Sra. Bader, la secretaria. Tal vez sea yo, pero yo podría jurar que ella le sonrió a él y me frunció el ceño a mí al mismo tiempo.

Después de diez minutos, Steve salió con una amplia sonrisa en la cara. "Adiós, Sra. Spencer. Le prometo que vamos a ganar el sábado", dijo mientras me pasaba por el lado.

"Entra, Martín", dijo la Sra. Bader.

Un escritorio en forma de L con una vieja computadora y montones de papeles encima estaba en un rincón de la oficina. Había una hilera de archivadores alineados en la pared junto al mostrador. En la esquina, en el lado opuesto de la habitación, había una pequeña mesa circular con cuatro sillas a su alrededor. Una caja de pañuelos y una pluma descansaban sobre la mesa. Apuesto a que era un lugar que había hecho llorar a muchos. Sobre todo a los padres, estoy seguro.

En medio de la habitación estaba una mujer delgada con gafas de montura metálica y labios tan apretados que su boca se parecía a la delgada cicatriz en el estómago de Frankie. Yo sabía que estaba en problemas.

"Hola, Martín. Soy la Sra. Spencer. Toma asiento en la mesa", dijo, agarrando una carpeta del archivo mientras la leía rápidamente.

Me dejé caer en la silla, agarré la pluma y comencé a hacerle clic. Estaba nervioso.

"¿Cuál es el problema entre tú y Steve Morris?" preguntó. Sus ojos se centraron en mi rostro como si estuviera en busca de evidencias de un crimen. Como dije al principio, yo no soy soplón, no iba a delatar a Steve. De donde yo vengo, eso no se hace, aun cuando probablemente debería hacerlo.

"Pos nada", le dije.

"Entonces ¿por qué le pegaste?" Podía oír una tensión en su voz.

"No fue así", le dije. "Estábamos jugando, eso es todo".

"Martín, tengo al Sr. Dooling y a otros tres estudiantes que dicen que te le acercaste a Steve y le pegaste en la cara. Ahora bien, o me dices todo lo que pasó, o tendré que proceder con lo que ellos me digan".

"Mire, Sra. Spencer. Steve y yo no nos llevamos bien. Él se metió conmigo durante la clase de gimnasia, y yo sólo me las cobré, eso es todo".

"¿Dándole un puñetazo en la cara?" El tono de su voz se puso aún más fuerte. Parecía que podría usarla para abrirte de un corte si quisiera.

Yo sabía que iba a salir perdiendo, pero no pude evitarlo. No había manera de que pudiera explicarle todo lo que me llevó a golpear a Steve. Incluso si pudiera explicárselo de alguna manera, pude ver que no estaría dispuesta a escucharlo. Su mandíbula apretada me indicaba que me iba a castigar, sin importar lo que dijera.

"Él se lo buscó, Sra. Spencer. Él me empujó primero".

"Nadie me informó de esto, Martín. ¿Tiene alguna prueba?"

Me recosté en la silla y dejé caer la pluma sobre la mesa. La Sra. Spencer me miraba detenidamente, y hacía pausas sólo para tomar notas en un bloc de papel rayado amarillo. Sabía que todos los chicos que fueron testigos eran los amigos de Steve del equipo de fútbol. Ninguno de ellos diría la verdad. Pero entonces me acordé de Eric. Él había sido testigo de todo el asunto, y odiaba a Steve. Si Eric le contara lo que vio, tal vez la Sra. Spencer no me castigaría.

"Sí", dije, dispuesto a contarle lo de Eric, pero entonces me acordé del miedo que le tenía a Steve. Si mencionara su nombre, y él le dijera la verdad, Steve y sus amigos probablemente irían a buscarlo. Después de todo, los dos vivían en la misma calle. La idea de que Eric fuera acosado me revolvía el estómago. Yo no iba a ser otra vez la razón por la que otra persona saliera lastimada. Eso se acabó.

"Bueno, ¿quién es?" La señora Spencer me preguntó. Su paciencia casi se había agotado. Me di cuenta. Ya venía el sermón.

"No importa", le dije. "Nadie vio nada porque pasó apenas finalizando la clase".

"Ya veo", dijo ella, escribiendo algo y luego poniendo la nota en una carpeta que cerró rápidamente. "Mira, Martín. Sé que tú eres nuevo en esta escuela y los cambios siempre son difíciles, pero no puedo permitir que pegues a los demás estudiantes. No sé cual haya sido tu experiencia en Zamora, pero debes saber que en Bluford no toleramos ese tipo de comportamiento".

Quería levantarme e irme. La Sra. Spencer actuaba como si yo no supiera que pelear en la escuela estuviera mal. ¡Por supuesto que lo sé! Pero de donde yo vengo, cuando alguien te pega, le tienes que devolver el golpe, o todo el mundo va a empezar a tratarte como si fueras débil. Dondequiera que estuviese, Steve tenía un dolor en la mandíbula que le recordaba que no debía meterse conmigo.

"Sí, Sra. Spencer", dije, sólo para que ella dejara de sermonearme.

"Ahora veo que ya has faltado un día a clases, y ahora estás aquí por estar peleando. Todo esto en una semana. Eso no es una buena señal, Martin. ¿Hay algo que yo deba saber? ¿Tienes problemas en casa?"

"No". ¿Por qué siempre culpan a la madre cuando uno se friega? Mi madre hacía todo lo posible para que yo no me metiera más en problemas.

"Bueno, Martín. Voy a decirte esto una vez como una advertencia. Esta es una buena escuela, y nos encantaría tenerte aquí. Pero si continúas este comportamiento, tú y yo vamos a tener serios problemas. ¿Entendido?"

"Sí, Sra. Spencer".

Luego me entregó unos papeles y me suspendió de clases por un día y me dio una detención el sábado con el Sr. Mitchell. La mención de su nombre me recordó que yo había faltado a mi detención después de la escuela con él por un segundo día consecutivo.

Qué bien. Más problemas.

"Una última cosa, Martín. Tengo que llamar a tu madre e informarle de lo que está sucediendo. Quiero reunirme con los dos en mi oficina la próxima semana".

Me retorcí en mi asiento. Yo sabía que a mamá le partiría el corazón enterarse de la cantidad de problemas en que me había metido en Bluford en menos de una semana. Sería sólo una prueba más para ella de que yo estaba arruinando mi vida.

¿Por qué haces esto, mijo? Estás tirando tu vida a la basura, ya podía escucharla decir. Habría más lágrimas, más gritos.

Lo que hacía que esto fuera tan doloroso es que era verdad. Yo estaba realmente fregado, y me sentía que no podía cambiarlo. Allá en mi barrio, ya no encajaba con Frankie y los chicos. En Bluford, no encajaba tampoco. En ningún lugar me sentía bien ya.

"Te dije que no tiene nada de bueno", había dicho Teresa. Sus palabras empezaron a meterse debajo de mi piel como astillas dolorosas. Incluso Vicky probablemente pensaría que yo era sólo un buscapleitos del barrio.

¿Qué otra cosa podría ser yo?

Al mismo tiempo que miraba las gafas metálicas de la Sra. Spencer, trataba en vano de encontrar la respuesta a esa pregunta. Es que mis problemas no eran sólo Frankie, Steve o Bluford. También era yo.

Huero murió en mis brazos en la calle frente de la casa de mi amigo. Recibió un disparo en la parte atrás de la cabeza con una bala destinada a otra persona.

Su sangre corrió por mis dedos, lo sostuve igual como lo hacía cuando era bebé. No era más que un niño inocente que nunca le hizo daño a nadie, nunca robó nada, nunca se metió en ninguna pelea. A diferencia de mí.

No siempre fui amable con él, pero yo seguía siendo su persona favorita. Por lo general, le decía que se fuera cuando yo estaba con mis amigos. Lo hice también el día que le dispararon. Él iba de vuelta a casa cuando el asesino venía hacia nosotros. Huero era tan valiente, que trató de advertirme del peligro. Yo sé que él estaba asustado. Podía verlo en sus ojos, y traté de protegerlo. Pero ya fue demasiado tarde.

Huero todavía estaría vivo si él no me hubiera seguido esa tarde. Me gustaría poder volver atrás en el tiempo hasta ese día porque lo haría todo de otra manera, pero no puedo. En ese día de verano, mi hermanito Huero murió tratando de protegerme. A pesar de que sólo tenía ocho años de edad, él es el héroe más grande que conozco.

Y ahora se ha ido por mi culpa. No hay otros héroes en mi vida.

Escribí las palabras sentado en la salita de bloques de hormigón amarillos que estaba al lado de la oficina de la directora. Más bien parecía una celda que un salón de la escuela. No había nada que se pudiera hacer durante la detención en la escuela que no fueran las tareas. El único descanso que tuve del zumbido y el parpadeo de las luces fluorescentes fue cuando la Sra. Bader me trajo el almuerzo, un plato de macarrones con queso, una cajita de leche y una galleta de chispas de chocolate.

Los párrafos que escribí para la clase del Sr. Mitchell eran demasiado dolorosos para yo poder volver a leerlos, pero al menos desviaban mi atención de la conversación que había tenido con mi madre la noche anterior.

"¿Qué voy a hacer contigo?" gritó mi mamá cuando le conté lo de la suspensión de la escuela que me dieron por haberle pegado a Steve.

"No hay nada que puedas hacer, Mamá", le dije.

Me di cuenta de que ella no me creyó cuando le expliqué que Steve y su grupo se habían metido conmigo. "Él me pegó primero, Ma. Yo sólo estaba devolviéndole el golpe", le dije.

"Ya estamos otra vez. Siempre es culpa de otro. Cada vez que te metes en problemas, es porque alguien dijo o hizo algo. ¿Cuándo vas a asumir la responsabilidad de tus actos y dejar de culpar a otros por las cosas que pasan? Y no importa lo mucho que trate de ayudarte, mijo, sigues tomando decisiones equivocadas. Cada día te vuelves más como tu padre".

"Ya basta, Ma", le dije. Me sentía como si ella me hubiese dado una bofetada. "No me parezco en nada a él".

Ella se fue furiosa por el pasillo y me dejó solo en la sala.

Un par de horas más tarde, estaba acostado en mi cama escuchándola hablar por teléfono con una de sus amigas. Su voz pasaba a través de las delgadas paredes de nuestro nuevo hogar, por lo que podía oír exactamente lo que estaba diciendo.

"Reza por él, Sonia. Lo amo, pero no hay nada más que pueda hacer para controlarlo. Es como si quisiera tirar su vida por la borda". La oí sonarse la nariz y darse vuelta en la cama. "Reza para que no se me pierda", dijo.

Me quedé despierto mirando unas viejas fotos de Huero que guardábamos en una caja y pensando que ya era demasiado tarde para oraciones. Huero se había ido, y de cierto modo, creo que yo también.

Capítulo 8

De repente, yo estaba de rodillas en la acera junto al carro de Frankie. Huero estaba en mis brazos, con los ojos cerrados, y yo con sangre en las manos. Los árboles a nuestro alrededor parecían haber sido sumergidos en un baño de plata. Aunque estábamos afuera había una extraña tranquilidad.

"¡No!" grité a todo pulmón. Mis cuates no estaban por ningún lado, pero el LeMans estaba allí brillando con más intensidad que nunca. Demasiada intensidad.

Entonces se oyó el ruido de los neumáticos rechinando. Me volví para ver el sedán blanco marcharse a toda máquina. Saqué mis brazos de debajo de mi hermano y comencé a perseguir al carro. Corrí por varias cuadras, con el carro justo delante de mí. Pasé por mi antiguo barrio, por el cementerio, y luego por la calle que daba al Golden Grill, después la nevería, hasta llegar a Bluford. El carro se detuvo en frente de la secundaria.

¡Llegó el momento! Me di cuenta. La oportunidad que había estado esperando. Tenía una pistola en la mano igual a la que Frankie había comprado. Parecía como si fuera parte de mí, como una extensión de mis dedos, y no un objeto externo.

Me le acerqué al carro, arma desenfundada, apuntando a la ventanilla del conductor. Tenía los cristales ahumados, por lo que no podía ver el interior. Pero entonces la puerta empezó a abrirse.

Sostenía el arma firmemente en la mano. Apuntando justo donde estaría la cabeza del conductor a medida que la abertura entre la puerta y el carro poco a poco se ampliaba. Vi una mano, luego un brazo, y después un hombro. Finalmente una cara.

No podía ser. Mis ojos me tenían que estar engañando. Por favor, díganme que sí.

El conductor del auto era yo. Estaba a punto de dispararme a mi mismo.

"¡No!" grité de nuevo.

De repente, una multitud salió de la escuela secundaria. Estaban todos mirando. Vicky. Teresa. Eric. El Sr. Mitchell. El oficial Ramírez. La directora Spencer. Mi madre. Comenzaron a señalarme, con ira y crueldad en sus rostros. Sentí manos que me agarraban mientras yo rogaba por mi vida.

"Está bien. Está bien, mijo", escuché. Era la voz de mi madre. Ella me estaba sacudiendo. Yo estaba en la cama empapado de sudor. "Estás soñando. Eso es todo".

Tenía pesadillas cuando era niño, especialmente durante el tiempo en que mi padre se había ido, pero ya habían parado hace años. E incluso cuando me despertaba por la noche, por lo general se me olvidaban a los pocos minutos. Se derretían como hielo dentro de un vaso en un día caluroso. Pero no esta pesadilla. Es como una imagen congelada permanentemente en mi cerebro. Cada vez que pienso en eso, me dan escalofríos.

"Vuélvete a dormir", dijo ella después de unos minutos.

Lo intenté, pero no pude dormir más que unas pocas horas esa noche.

El sábado por la mañana, salí de la cama tan pronto como escuché la alarma sonar a todo volumen. Me dolía la cabeza, y oía a mi madre haciendo el café en la cocina. Cuando me vio, ninguno de los dos dijo una palabra. Tenía los ojos hinchados e inflamados, y pude ver que ella no había dormido mucho tampoco.

La veía más envejecida también. Era como si hubiera envejecido cinco años desde que murió Huero. Yo sabía que yo tenía la culpa de eso también. ¿Alguna vez se han mirado en el espejo y han odiado lo que ven? Ese era yo. No podía soportar ni siquiera estar dentro de mi propia piel.

Me comí rápidamente un tazón de cereal y me escurrí por la puerta sin decir adiós. Unos minutos más tarde, estaba frente a Bluford. Unos cuantos obreros estaban ocupados marcando las rayas en el campo de fútbol americano a medida que yo me acercaba. Un cartel escrito a mano estaba colocado en la cerca del campo de fútbol americano. Aún desde lejos podía leer las palabras fácilmente.

Bluford vs. Zamora
Hoy a las 10:00

Sabía que Steve estaba por ahí cerca, preparándose para el juego. Nunca me importó el fútbol antes, pero yo quería que Zamora aplastara a Bluford. Cualquier cosa que evitara que Steve se pusiera a presumir en la clase. Ya era bastante malo que el tipo se saliera con la suya cuando me pegó, y que nadie, ni la directora, ni siquiera mi propia madre, creyera mi versión de los hechos. Pero si tuviera que ver a Steve ganar encima de todo lo demás, yo acabaría vomitando. Lo digo en serio.

Mi detención estaba programada desde las 9:00 hasta las 12:00, así que me iba a perder gran parte del juego, pero todavía podría ver el final. Tal vez yo tenga suerte y Zamora gane. Sí, claro.

Adentro, la escuela estaba casi vacía a excepción de unos pocos conserjes que ni me pelaron cuando les pasé por el lado. Me fui directamente a la sala que indicaba el papel que la Sra. Spencer me había dado, número 127, y me senté en la tercera fila. La última fila de pupitres estaba llena.

El Sr. Mitchell estaba sentado en la parte del frente del salón cuando llegué. Una gran pila de trabajos escritos de los estudiantes estaba en su escritorio, y estaba inclinado leyendo uno de ellos. Llevaba unos jeans y una sudadera gris en lugar de su camisa de vestir habitual. Primera vez que lo veía y no tenía puestas una de esas estúpidas corbatas. Casi parecía una persona normal, y no un maestro.

Además de mí, cuatro chamacos y dos chamacas estaban en detención. Uno de los chavos tenía un iPod y movía la cabeza. Otro tenía la cabeza sobre el escritorio y los ojos cerrados. La chica sentada más cerca de mí olía como un cenicero lleno de colillas de cigarrillos quemados. Que asqueroso. Excepto por el olor, me alegra que haya tanta gente en el aula. Por lo menos yo no era el único fregado que se metió en problemas durante la primera semana de clases.

"Pongan atención, todos", dijo Mitchell, cerrando la puerta a las 9:00 en punto. "Este es el trato. Si tienen tareas, pueden hacerlas. Si no, yo tengo libros y revistas que pueden leer. Lo que no pueden hacer es dormir o quedarse mirando al vacío. ¿Entendido?"

El grupo murmuraba, y yo podía oír las cremalleras de mochilas y chaquetas abriéndose y cerrándose con pereza. Tomé mi cuaderno de Inglés.

A continuación, el Sr. Mitchell tomó asistencia. Leía cada nombre en voz alta y ponía una marca en un papel, cada vez que un estudiante respondía. Pero al llegar a mi nombre, alzó las cejas y levantó los ojos de la lista. Incluso me dio una mirada extraña.

"Martín Luna", dijo como si estuviera decepcionado. Como si yo fuera alguien de quien él esperaba más. Eso me cayó mal.

"Presente, Sr. Mitchell", le dije, como si yo estuviera muy feliz de verlo. ¿A quién quería engañar actuando como si le importara? Yo no me trago ese cuento. Yo sabía que él era como todos los demás. Para él, yo era un problema, el chico que faltó a clases dos veces en la primera semana, que causó una interrupción en su curso y que fue suspendido.

Durante las siguientes tres horas, leí mis libros de texto y luché contra el sueño. Era la mayor cantidad de tarea que había hecho de una sola sentada en años. Incluso volví a escribir mi ensayo de Inglés sólo porque estaba aburrido. Añadí un párrafo sobre Huero, describiéndolo a él y lo que le gustaba hacer. Me ponía muy triste, y tuve que parar varias veces para poder calmarme. Me preguntaba qué estaría haciendo Frankie.

En un momento, oí el sonido distante de personas vitoreando afuera. Era el partido de fútbol. Me imaginaba a Steve dejando caer la pelota y a todo el mundo abucheándolo desde las gradas. ¿Qué puedo decir? Estaba aburrido.

Para cuando el Sr. Mitchell dijo que la detención se había terminado, yo ya estaba cansado. Mi trasero me dolía de tanto estar sentado en la silla de metal, y tenía que salir de esa apestosa sala. Dejé mi tarea en el escritorio del señor Mitchell, y corrí hacia la puerta.

"Martín, ¿puedo hablar contigo?" dijo justo antes de yo llegar al pasillo. Yo quería seguir caminando, pero no había manera de que pudiera fingir que no lo había oído. Los demás estudiantes ya se habían ido.

"Tengo que irme, Sr. Mitchell", le dije, tratando de pensar en una excusa

para alejarme. "Tengo cosas qué hacer".
Sabía lo que se avecinaba. Él iba a darme
un sermón acerca de mi conducta, mis
inasistencias, y la detención a la que no
estuve. Yo no estaba de humor, pero no
había manera de salirme de esta.

"Sólo necesito unos minutos".

Volví a sentarme en el pupitre en
el centro del salón, crucé los brazos y
clavé la mirada en el suelo. Él se inclinó
en el escritorio que estaba en la parte
delantera del salón.

"Bien, Martín, tú necesitas decidir
qué es lo que quieres ser, y tienes que
hacerlo ahora".

"¿Qué?" dije.

"Bueno, tú puedes ser un estudiante
inteligente, de lo cual sé que eres capaz,
o puedes seguir por el camino en que
te encuentras y meterte en problemas
serios. ¿Qué piensas hacer?"

Me puse derecho en la silla. Sentí un
nudo apretarse en mi cabeza y en mi
pecho. *¿Un estudiante inteligente?* Él se
estaría burlando de mí.

"Dígamelo usted, Sr. Mitchell. Usted
es el que siempre parece saberlo todo".

"No, Martín, no lo sé todo. Sólo
sé lo que tú me has mostrado. En
estos momentos, veo un buen chico que

podría ir en cualquier dirección, y yo no quiero perderte".

Sus palabras me pusieron incómodo. Se parecían demasiado a las de mi madre. Y me miraba fijamente, haciéndome sentir como si estuviera poniéndome en evidencia o algo así.

"Hombre, ¿cuál es su problema?" le pregunté. "Siempre está molestándome, como si me conociera o algo así, pero usted no sabe nada sobre mí, Sr. Mitchell", le dije, sorprendido por la emoción que giraba dentro de mi como si tuviese un motor fuera de control en el pecho.

"Muy bien", respondió sin pausar. "Entonces, ¿qué te parece si me *ayudaras* a entenderte mejor?"

Sentía esta tensión que provenía desde atrás de mis ojos como si alguien me estuviera apretando la cabeza.

"¿Para qué? Yo no necesito nada de usted. Yo lo que he logrado ha sido por mi propia cuenta".

"Sí, lo hiciste. Pero Martín, ahora vas por mal camino. Apenas ha pasado una semana, y ya has faltado a clases en dos ocasiones. Ya te han suspendido, y me doy cuenta que estás tenso todo el tiempo. Yo tengo tantos años enseñando que la experiencia me ayuda a ver estas cosas en tu cara".

La presión en mi cabeza aumentaba, como si fuera un globo gigante que se estuviera llenando con demasiado aire.

"Sí, bueno, no soy como los demás chamacos en esta escuela. Yo odio este sitio. Yo no quería venir aquí, y si pudiera, me iría", le dije, poniéndome las palmas de las manos en la frente, tratando de alejar el dolor de cabeza que comenzaba a hervir en mi cráneo.

"¿Es por eso que estás actuando así en mi clase?"

"Y *usted*, ¿qué cree?" dije, mirándolo como si él fuera el culpable de todo lo que había salido mal. "Estoy seguro de que tiene una explicación. Adelante. Dígame lo que es". Yo sé que él no era la causa de ninguno de mis problemas, pero sus preguntas me estaban poniendo en evidencia. Es como si yo estuviera empapado de gasolina, y él estuviera lanzándome fósforos en la cara.

"Martín, un montón de gente se siente como . . ."

"¡Pero *no* son como yo, Sr. Mitchell!" grité, levantándome de mi pupitre y pateando una silla. Corrí hacia el otro lado de la habitación y me estrellé contra un muro, rompiendo el silencio en la casi vacía escuela. Yo no me podía controlar. Estaba tan enojado. Y el Sr. Mitchell estaba tratando de sacarme de mis casillas.

"¿Todo bien?" preguntó un señor de la limpieza, abriendo la puerta y mirando dentro del aula. Sus ojos se clavaron en mí durante un segundo. Sabía que él podía notar que yo estaba molesto. "Escuché algo romperse por aquí, y pensé que debería echar un vistazo".

"Todo está bien, John", dijo el Sr. Mitchell. "Gracias".

El conserje nos miró a los dos antes de cerrar la puerta. Respiré a fondo y me tragué la emoción que me había hecho explotar de ira.

"¿Por qué estás tan enfadado, Martín?"

En ese instante, yo odiaba al Sr. Mitchell. Seguía insistiéndome, de tal forma que me hacía pensar cuando lo que quería era que esto se acabara. No sabía si hablaba en serio, y no me importaba si estaba tratando de ayudar. Tenía muchas cosas dándome vueltas en la cabeza, una maraña de Huero, mi madre, Frankie, Steve, Bluford y mi casa. El Sr. Mitchell era lo que menos me preocupaba. Sin embargo, era como si estuviera tratando de convertirse en el centro de todo.

"Me tengo que ir", le dije, caminando hacia la puerta.

Dio un paso hacia la puerta como si fuera a tratar de detenerme.

"Manténgase fuera de mi camino, Sr. Mitchell. No quiero cometer una estupidez, pero usted me está presionando. Tengo que irme", le dije. Te juro que no quería hacerle daño. Nunca le he hecho nada a ningún maestro, pero estaba a punto de salirme de mis casillas. Tenía que salir de ahí.

Los ojos del señor Mitchell se abrieron, y todavía tenía esa mirada de preocupación en su rostro. Pero se detuvo en seco. "Adelante, Martín", dijo.

Abrí la puerta y salí corriendo de Bluford. Para cuando había llegado afuera, me temblaban las manos y mi cara estaba sudada. Me sentía como si acabara de salir de una pelea a puñetazos. Incluso tenía el mismo sentimiento de culpa. Por lo menos yo no golpeé a nadie. Sé que no suena como mucho, pero cuando estás en mi lugar, te agarras de lo primero que venga.

Tan pronto como bajé por la escalinata del frente de Bluford, desde atrás de la escuela secundaria oí a la gente echando porras. Era el partido de fútbol americano. Casi se me había olvidado.

Di la vuelta por la parte de atrás de la escuela y me acerqué a la valla que evita que los chamacos del barrio se metan a jugar en el campo. Las gradas estaban medio llenas. Muchas de las personas que estaban allí eran adultos, probablemente eran los padres de los jugadores.

"Entra y toma asiento", dijo un guardia cerca de mí. "Es un buen partido".

No pude creer lo que vi dentro del área cercada. Aunque los edificios afuera estaban un poco deteriorados, el campo de fútbol americano de Bluford estaba en muy buenas condiciones, casi como lo que se esperaría en los suburbios o algo así. A medida que me fui acercando a las gradas, pude ver a toda la multitud concentrada en el juego. Algunas personas estaban de pie gritando.

"Eso fue interferencia", gritó un hombre mayor. "¡Árbitro, abra los ojos!"

En la primera fila vi a un grupo de estudiantes. Reconocí a algunos compañeros de clases. Otros eran completos extraños.

Me acerqué a la tribuna y encontré un puesto en la cuarta fila. El marcador estaba justo a mi derecha. Bluford iba adelante 13 a 10. Quedaban sólo tres minutos de juego. Zamora tenía la pelota. ¡Tal vez Bluford perdería!

Una vez rodeado de la multitud, no pude dejar de recordar la última vez que me senté a ver un evento deportivo. Fue a finales de la primavera, cuando Huero estaba jugando béisbol de pequeñas ligas. Mi mamá y yo íbamos a todos sus juegos. Le echábamos porras cada vez que hacía algo. ¡Gritábamos bien fuerte! A pesar de ser pequeñito, Huero realmente podía batear. En su último turno de bateo, metió un jonrón, y mi madre y yo nos abrazamos. Fue hace apenas unos meses, pero me parece como si hubiese sido en otra vida, una que nunca pudo haber existido.

Mis ojos se me aguaron mientras los entrecerraba bajo el sol brillante para poder ver el juego. Me debo haber perdido varias jugadas.

Zamora había llevado el balón hasta

el fondo. A cinco yardas de la línea de Bluford. La gente a mi alrededor estaba tensa.

"¡No los dejes pasar de ahí, Coop!" gritó una chava que estaba en frente de mí. Reconocí su rostro, creo que era de la escuela. Creo que su nombre era Tarah.

Yo no podía creer lo que pasó después. De alguna manera, el mariscal de campo de mi antigua escuela se precipitó en la zona de anotación. Echaba porras como si el fútbol en realidad significara algo para mí. Por lo menos Steve Morris dejaría la jactancia. La gente me miraba como si yo estuviera insultándolos o algo así, pero no me importaba. Era como si el juego me dejara desahogarme de lo que yo había estado pensando durante una semana, que Bluford era difícil, que no me gustaba, que no yo pertenecía aquí, que ninguna mudanza jamás podría reemplazar lo que perdí.

Pero todavía quedaba un minuto de juego.

En la patada inicial, un jugador de Bluford atrapó el balón y corrió por el campo. Evadió dos tacleadas, corrió y se detuvo, esquivó y zigzagueó. Una vez, pareció pasar entre otras dos personas que estaban tratando de agarrarlo, y en otro lado, saltó por completo por encima de un defensa de Zamora.

"Mira cómo corre ese muchacho", dijo una de las chicas que estaba frente a mí. "Él va a seguir corriendo así directo a la universidad".

"Lo único que tiene más rápido que los pies es la boca", dijo Tarah.

Finalmente, sólo el pateador de Zamora se interponía entre el corredor de Bluford y la zona de anotaciones. El corredor bajó su hombro y se abrió paso entre el pateador como si este último estuviera hecho de papel.

Anotó. Se acabó el juego. Bluford ganó.

Y entonces vi quién tenía la pelota. Era Steve Morris.

Solté unas palabrotas en voz alta. Ya saben cuáles.

Capítulo 9

La multitud comenzó a irse tan pronto como terminó el partido. Mucha gente iba con una sonrisa tonta en la cara, pero yo no. Yo sólo quería salir de allí. Me subí a la parte de abajo de las gradas y esperé a que la gente se dispersara.

"¡Martín! No puedo creer que estés aquí", dijo una voz alegre y conocida.

Me volví y vi que Vicky estaba a mi lado. No la había visto desde que el señor Dooling me llevó a rastras por el pasillo hasta la oficina de la Sra. Spencer. Me sentía un poco avergonzado. No muy lejos de allí estaban Teresa y otra chava que yo no conocía. Teresa me miró como si yo hubiera acabado de asaltar a su madre.

"Hola, Vicky", le dije, tratando de ocultar mi sorpresa. "¡No me digas que eres una fanática del fútbol! ¿Qué pasó con todo eso de ganadores y perdedores?" le dije en tono de juego.

Ella sonrió, y les digo que mi día mejoró inmediatamente. Había algo en sus ojos y en la manera en que las ondas largas de su pelo se rizaban contra su cuello y cara. "No te preocupes, Martín. Créeme, hay muchos lugares en donde preferiría estar. Pero a Teresa le gusta un chavo del equipo, y me hizo prometerle sentarme con ella mientras lo observaba. ¿Y tú?"

Yo no quería que ella supiera la verdad, pero no me atrevía a mentirle. "Yo tenía detención hoy sábado con el Sr. Mitchell. Acabo de salir", le dije, creyendo que se iría. Yo podía ver que Teresa nos estaba mirando a través de la multitud. Parecía más enfadada que nunca, mirando a Vicky como si nadie más pudiera ver su rostro. "Vicky, creo que Teresa te necesita para alguna cosa", le dije.

"Ella es tan maleducada a veces", dijo Vicky bruscamente, con ojos encendidos de ira. "Ya vuelvo". Vi que las chavas hablaban y Teresa volteaba los ojos. Esa chica me odiaba. Algunas personas son así. Vicky regresó un minuto después, mientras que Teresa se iba con su amiga. "Lo siento".

"Mira, si te tienes que ir, está chido".

"No, Martín, quiero hablar contigo", dijo. Estaba tan seria que casi me volteo para asegurarme de que estaba hablando conmigo. Yo nunca conocí a una chica como ella allá en mi viejo barrio. "Me enteré de lo que pasó en el gimnasio entre tú y Steve. Sólo quiero que sepas que lo que él hizo estuvo muy mal".

La chica me dejó sorprendido. Parecía que estaba enfadada, no conmigo, sino por lo que me habían hecho a mí. Como si estuviera de mi lado. No estaba seguro de qué decir. "Sí, bueno, alguien tendría que decírselo a la señora Spencer".

"No te preocupes. Yo lo hago el lunes", dijo.

"Niña, estás loca", dije, sacudiendo la cabeza. Era toda una luchadora. Podía ver eso, pero no entendía por qué estaba hablando conmigo.

"Tú no eres la primera persona en decir eso", dijo con orgullo.

"Bueno, pues yo no sé si debería hablar contigo entonces. Mi madre siempre me ha dicho que tenga cuidado con las chicas locas".

"Bueno, y la mía siempre me dice que tenga cuidado con los chicos peligrosos".

"¿Oh, así que ahora soy peligroso?" actuando como si me sintiera lastimado.

"Yo no creo, pero eso no es lo que dice Teresa", ella respondió con una sonrisa que me convenció de que era más inteligente que cualquiera de mis otros amigos, incluyendo a Frankie. Ella se quedó callada por varios segundos, y pasamos la multitud de Bluford y nos dirigimos al barrio. "¿Quieres dar un paseo por el parque?"

Mi corazón dio un vuelco. Yo no podía creer que ella quería pasar tiempo conmigo. *"¿Ahora?"* le dije.

"O podemos quedarnos aquí y esperar a Steve", respondió ella.

"Sí, hagamos eso", le dije, fingiendo hablar en serio.

"Ya vámonos". Ella me dio un golpecito juguetón en el estómago cuando empezamos a caminar.

No sé cómo sucedió, pero Vicky y yo pasamos toda la tarde juntos. Era como la bella y la bestia o algo así. Aquí estaba Vicky, una chica inteligente, una estudiante de altas calificaciones, con una hermosa piel color de oliva, una sonrisa tan blanca, pelo negro con unos rizos que bajaban por su espalda, y unos ojos que parecen mirarle a uno hasta el interior del alma. Y luego estoy yo, Martín Luna. Ya me conocen.

Por un rato hablamos de Bluford. Me hizo un montón de preguntas sobre la escuela y me dijo cosas de algunas de las personas de nuestra clase de Inglés. Cuando mencioné al señor Mitchell, ella se volvió hacia mí.

"El Sr. Mitchell es bien buena onda, Martín", dijo. "Puede ser duro, pero es justo, y se preocupa de lo que le sucede a la gente de aquí. Incluso se crió en el barrio".

Empecé a decirle que pensaba que él era demasiado entrometido, pero ella me hizo callar.

"Él hace muchas preguntas porque se interesa por nosotros. Oí que el año pasado, se presentó en la casa de un chamaco para advertirle a los padres que su hijo estaba usando drogas. Él es así. Siempre tratando de ayudar". Yo estaba a punto de decirle que casi perdí la paciencia durante la detención y que casi le pegué.

"Sus corbatas son feas", le dije, tratando de cambiar de tema.

"Sí, él necesita ayuda con su vestuario. Mi mamá dice que necesita una mujer en su vida. Mi papá se ríe de eso". Claro, ella tenía a sus dos padres en la casa.

Salimos del parque y fuimos a Niko's para comer pizza. El lugar estaba lleno de gente de Bluford. Dos mesas más allá, Cooper y esa chica, Tarah, estaban sentados con algunos estudiantes. Uno de ellos era Darcy de mi clase de Inglés.

"Lo único que Steve tiene que hacer es empezar a hablar y todo el mundo huye", oí decir en voz alta a Cooper entre ataques de risa. "Es por eso que nadie lo bloquea. Lo digo en serio".

"Sí, pero tienes suerte de que él esté en tu equipo, Coop", dijo Tara.

Le asentí con la cabeza mientras compré un trozo de mi pizza favorita de extra queso y chorizo, y otro pedazo sólo con queso para Vicky. Mientras comíamos, me dijo que a Teresa le gustaba un chico que hacía entregas de pizzas a domicilio para Niko´s.

"Esa chica me odia", le dije.

"No. Ella no te odia. Sólo que ella no confía en ti", dijo Vicky, levantando las cejas.

Todavía no podía entenderla. No tenía ni idea de por qué me miraba tan seriamente. "¿Y tú?" Tenía que preguntárselo.

"No estoy segura todavía", dijo.

Era como si ella hubiese tomado una cuchara y la hubiera metido en mi pecho, comenzado a agitarme como si fuera una jarra de té helado. Estaba tan confundido. Yo quería ser el tipo de persona en quien ella pudiera confiar, alguien que la mereciera, pero no sabía lo que era eso.

Todo lo que sabía sobre las chavas lo había aprendido de Frankie. En mi viejo barrio, él siempre tenía chicas persiguiéndolo. Eran bonitas, pero siempre parecía que estaban tratando de huir de algo. Una ya tenía un hijo. Que incluso podía haber sido de Frankie, aunque él nunca lo iba a decir. Vicky era totalmente diferente de todo eso. Yo sabía que a ella no le gustaría Frankie, así que no podía entender por qué estaba hablando conmigo.

"Vicky, tú y yo, somos tan diferentes el uno del otro", le dije, sin saber a dónde llegaría, pero incapaz de detenerme. "Realmente diferentes".

141

"Entonces", dijo. "¿Qué quiere decir eso?"

"No sé. Simplemente parece . . . que no deberías estar aquí conmigo". Debió haber sido la cosa más sincera que he dicho desde que Huero murió. No podía ni siquiera mirarla. Me dolió.

Me tocó la mano entonces, sólo por un segundo, antes de quitarla de nuevo. "Martín, la primera vez que te vi yo me dije, 'Oh, no, ¿quién es este chico que actúa con tanta dureza?' Pero cuando escribiste sobre lo de tu hermano, me pareció que estabas tan triste. Fue entonces cuando decidí que quería platicar contigo".

"Oh, ¿así que sientes compasión por mí?" Eso lo explicaba todo. Yo era un proyecto de caridad para ella.

"No, no es así", dijo ella, mirándome fijamente. "Es sólo . . . no sé. Es como si fueras más real que los chicos de por aquí".

"¿Qué?"

"Mira a Steve. Da la impresión de tenerlo todo bajo control. Goza de mucha popularidad. Tiene muy buen cuerpo, y juega al fútbol americano. Pero luego, cuando platicas con él, te das cuenta que es un perfecto idiota. Tú eres todo lo contrario. Por afuera, das la impresión de ser un chico malo, pero tú no eres así. No, en lo absoluto".

Yo no sabía qué decir. Me refiero, yo sabía que ella estaba tratando de ser amable, y yo estaba feliz de que estuviera hablando conmigo. Pero yo debía tomar muy en cuenta lo que me estaba diciendo.

"¿Qué tiene de malo mi cuerpo?"

"Nada", dijo y luego se ruborizó. "*No. No estoy hablando de eso*". Ella sacudió la cabeza y se acomodó el cabello detrás de la oreja. "Steve y yo salimos durante tres meses, y nunca me dijo nada de mi abuela, incluso cuando le hablé de ella. Tú me conociste por dos minutos, y me dijiste algo tan bonito".

Se le hacía una arruga en la frente mientras hablaba, un pliegue perfecto que estaba allí porque estaba concentrada para conseguir las palabras adecuadas. Yo quería tocarle la cara, darle las gracias de alguna manera, pero no podía ni moverme. Si apenas podía hablar. ¿Qué me estaba pasando?

Frankie me habría abofeteado si me hubiera visto.

Estás perdiendo la cabeza, vato, me diría. *Ninguna chava es tan importante como nosotros, tu familia.*

Pero por primera vez, casi no me importaba.

El domingo, fui a la iglesia con mi madre. No me pregunten por qué.

Mi madre me miró como si yo tuviera fiebre cuando me vio esperándola en la sala con mi camisa de vestir.

"¿Tú vienes a misa conmigo?" preguntó. Ni siquiera parpadeó una vez mientras me hablaba.

"Sí, ¿por qué?" dije. Yo no quería mayor alboroto de eso.

"Nada, mijo", dijo ella, sonriendo un poco y llevándome al carro.

"Me alegro de verte de nuevo, Martín", una señora mayor me dijo, dándome palmadas en la espalda tan pronto como entré en la iglesia.

"Te ves tan guapo", dijo otra persona.

La forma en que se me quedaban mirando con los ojos tan abiertos me decía que eran algunas de las personas a quienes mi mamá llamaba cuando tenía necesidad de platicar sobre mí.

Yo no había ido a la iglesia desde el funeral de Huero, pero el olor dulce del humo del incienso me transportó de vuelta al momento cuando estaba en su ataúd frente al altar. Yo estaba tan lleno

144

de ira en ese momento. Ese recuerdo es tan cortante como una navaja. Mientras el sacerdote hablaba en contra de la violencia entre pandillas, yo estaba planeando hacer eso mismo.

Pero ahora todo era tan confuso y opaco. Sólo pensar en eso hacía que mi cabeza palpitara y que mi corazón se acelerara, y yo apenas podía oír hablar al sacerdote sobre el perdón.

Después nos detuvimos en la tumba de Huero. La rosa que yo había dejado todavía estaba allí, los pétalos ya comenzando a marchitarse y a secarse.

"Lo echo de menos, mijo", dijo mi mamá mientras permanecíamos juntos ahí de pié, sus lágrimas cayendo en silencio en el suelo delante de la lápida.

"Yo también, mamá", le dije, poniendo mi brazo sobre su hombro. Se inclinó hacia mí y empezó a sollozar, y la sostuve. Me sentía como si ella se desplomaría sin mi apoyo.

Ven a verme después de clase.

Ese es el único comentario que el Sr. Mitchell escribió sobre mi tarea de Inglés. Era lunes por la mañana, y después de todo, yo estaba haciendo mi mejor esfuerzo para aplicarme más en Bluford.

Llegué a la escuela a tiempo, y aunque no quería asistir a la clase Inglés, me fui a donde el Sr. Mitchell tratando de pretender que la detención del sábado pasado nunca había sucedido.

Vicky estaba actuando de manera extraña, y eso me molestaba mucho. Cuando llegó a clase, casi le estaba gritando a Teresa.

"Tuve que decírselo", dijo Vicky, con un tono de voz más fuerte de lo habitual.

"No deberías haberte metido en eso, Vic", respondió Teresa y luego me vio. Su boca se cerró de golpe, como las trampas para ratones que usábamos en la cocina.

Antes de que pudiera decir nada, el Sr. Mitchell entró, y Vicky me sonrió a medias de una manera que me indicaba que algo no andaba bien. Lo único bueno fue que Steve estuvo ausente durante la primera mitad de la clase, así que no tuve que escucharlo alardear sobre lo del sábado. Eso me habría sacado de mis casillas.

Cuando finalmente llegó, él tenía el ceño fruncido como si quisiera golpear a alguien. A mí ni me importaba. Todo el mundo se le quedaba viendo, incluyendo el Sr. Mitchell, pero nadie decía nada.

Yo quería hablar con Vicky al final de la clase, pero la nota que el Sr. Mitchell me dejó apuntada en el cuaderno significaba que tenía que verlo a él en vez de a ella. Sabía que me iba a decir todos los errores que tenía mi tarea. Al menos en Zamora, podría sacar una C sin siquiera intentarlo. Aquí hice mi mejor esfuerzo, e iba a reprobar.

"Usted dijo que quería verme", dije tan pronto sonó el timbre, y preparándome para las malas noticias.

"Sí, Martín. En primer lugar, quiero decirte que siento mucho lo del sábado. Realmente te puse entre la espada y la pared, y no era mi intención hacer eso. A veces lo mejor que podemos hacer es alejarnos de una situación que no es buena, y me alegro que hayas hecho eso y no otra cosa".

El hombre estaba loco. Yo estoy convencido de ello. ¡Si los maestros no se disculpan! Por lo menos ninguno que yo conozca.

"En segundo lugar, tu ensayo estuvo excepcional e impactante. Debiste haber necesitado mucha valentía para escribirlo, y te voy a dar una A. Buen trabajo. Deberías considerar la posibilidad de escribir para el periódico escolar, *El Clarín de Bluford*. Después me avisas si esto te interesa".

Me quedé sin palabras. ¿Yo? ¿Una A? Sólo Huero podría hacer que eso sucediera.

"Finalmente, sólo voy a repetir lo que dije el sábado. Martín, tú tienes talento, y podrías tener un futuro brillante. No lo eches a la basura. Cuando sientas que las cosas se te están yendo de las manos, cuando te sientas que te estás metido en aguas demasiado profundas, habla conmigo. Yo estoy aquí para ayudarte. Y lo digo de corazón".

No sé de qué planeta haya venido el Sr. Mitchell, pero tal vez no era un mal lugar. Siento un poco de vergüenza al admitirlo, pero yo estaba como un chamaquito en el día de Navidad. Fue la primera vez que recuerdo a un profesor decir algo bueno de mí: ¡Martín Luna!

Por el resto del día, nada me podía afectar, ni la C que saqué en una prueba de biología, ni el Sr. Dooling observando cada movimiento mío en el gimnasio, ni Steve clavándome la mirada en el vestuario. Lo único que faltaba para que fuera un día perfecto era Vicky. Yo tenía que encontrarla.

"¿Está todo bien?" le pregunté acanzándola cuando venía saliendo.

"No sé, Martín", dijo un poco tensa. "Deberías irte a casa". Bajamos las escaleras juntos y nos dirigimos hacia la salida.

"¿Por qué? ¿Ya te cansaste de mí?"

"No. Es sólo que le dije a la Sra. Spencer lo que pasó contigo. Alguien más también lo hizo. Ahora Steve y otros chicos del equipo de fútbol están metidos en un rollo. Teresa dijo que tal vez tú también".

"¿Por qué? ¿Qué me va a hacer la Sra. Spencer?"

"No es la Sra. Spencer la que me preocupa. Eres tú. Steve y sus amigos están tramando algo".

Casi me reí. "¡Por favor! Yo no tengo miedo de ellos. Ellos no se atreverían a tocarme".

"No sé, Martín," dijo ella, mirando sobre su hombro. "Oh, no".

Un pequeño sedán negro pasó lentamente por el otro lado de la calle. Había tres chicos en el asiento trasero, dos en la parte delantera. Yo los veía voltear la cabeza y decir algo. Uno de ellos me señaló. Tenía una sensación como si me estuviera hundiendo, como si el hormigón debajo de mis pies estuviera blando y pegajoso. Igual como justo antes de que Huero recibiera el balazo.

El carro hizo un giro en U en el medio de la calle y dobló hacia nosotros. Steve estaba en el asiento delantero.

Capítulo 10

"Sigamos caminando", dijo Vicky. Un ligero temblor sacudió su voz.

El carro se acercó, pero no me moví. No podíamos correr, ni aún si quisiéramos. Bluford estaba a casi dos cuadras atrás de nosotros, y lo único cerca era una tienda de comestibles al otro lado de un amplio estacionamiento. No había manera de que pudiéramos llegar a la tienda a tiempo.

"Vamos, Martín", insistió ella agarrándome del brazo y jalándome para el lote hacia la tienda. Podía sentir sus uñas en mi piel.

Era como si estuviera viviendo nuevamente la pesadilla del verano que pasó. Otra persona que se encontraba en el lugar y el momento equivocado por mi culpa. Había perdido a mi hermano que trató de advertirme. Yo no iba a perder a la chica que me defendió con la directora.

"Vicky, ya no hay tiempo. Tienes que alejarte de mí *ahora*", le dije al mismo tiempo que las llantas chirriaban al detenerse el carro. *"¡Ándale!"*

Empecé a temblar. Parecía haber una gran calma. Era como si estuviera hablando con Huero.

"No puedo dejarte aquí solo, Martín", dijo.

Me volví y puse mis manos sobre sus hombros. "¡Vicky, tienes que irte *ahora*! Es a mí a quien quieren, no a ti. *¡Ándate!"*

Las puertas del carro se abrieron.

"Yo me quedo", susurró con valentía. "Quién sabe lo que te harán si me voy".

Si tuviera más tiempo, yo mismo la habría llevado a que se resguardara en la tienda de comestibles, pero de repente había cinco chicos del equipo de fútbol de Bluford, delante de nosotros. Steve estaba al frente. Di un paso delante de Vicky para enfrentarme a él.

"Ya veo que sabes escoger a tus amigos, Vicky", dijo, mientras me miraba. "¿Por qué no corres hacia la frontera para que el cholo y yo podamos hablar?"

Los otros güeyes se echaron a reír. Uno de ellos era Clarence. A los otros no los reconocí.

"¿Cuál es tu problema, Steve?" ella dijo con ira. Yo no podía soportar que ella tuviera que defenderme.

"¿Un puñetazo en la cara no fue suficiente para ti, Steve?" le dije, provocándolo. "Ahora tuviste que traer a los muchachos porque no podías tú solo".

"No hagas eso, Martín", dijo Vicky. "Por favor, no hagas eso".

Los ojos de Steve se cerraron un poco, y se me puso justo al frente. Mis ojos estaban a la misma altura que su nariz. Oí a los otros acercarse, formando un círculo alrededor de nosotros.

"Todos estamos metidos en un rollo por tu culpa", dijo uno de los chamacos. "No podremos participar en el juego de la próxima semana contra Lincoln".

"Oh. ¿Así que cayéndole todos a Martín van a arreglar las cosas?" dijo Vicky. "Probablemente no van a jugar durante años".

"Vicky, deberías mantenerte al margen. Oí que tú fuiste uno de los soplones", gruñó Steve.

No podía dejar que la atención se centrara en ella. "Oye, ¿nos vamos a quedar aquí hablando todo el día? Porque yo tengo cosas que hacer", le dije, dándole a Steve un toque con el dedo en el pecho para torearlo.

"Martín, no", gritó ella.

De repente, Steve me dio un empujón. Me fui hacía atrás unos cuantos pasos y choqué contra uno de los otros chicos que me empujo de vuelta a Steve.

"Vamos", dijo Steve, alzando los puños.

"¡Ándate, Vicky!" dije. Mientras ella estuviera a salvo, no me importaba lo que pasara.

Steve levantó los puños como si fuera un boxeador. Con la agilidad de un gato, me lanzó un puñetazo a la cabeza. Si no hubiera estado en un montón de peleas allá en mi barrio, me habría cogido, pero lo esquivé justo a tiempo.

Vicky lo vio con horror. Yo no quería pelear en frente de ella. Ella no me conocía ese lado, y no quería que ella lo viera. Me gustaba más lo que había visto en mí. Sin embargo, Steve no me daba otra opción.

"¡Ándate!" grité, esquivando otro golpe.

En ese momento, un golpe demoledor me golpeó en la espalda. Provenía de Clarence. Esto me produjo un dolor intenso y penetrante. Yo estaba bien, pero sabía que no podía pelear a ambos lados. Sin embargo, la cara tan ancha de Clarence era un blanco ideal, y le atiné directo al ojo derecho. Él gruñó y se agarró la cara, saliéndose del círculo. Sin embargo, Steve y otros dos se me acercaron. Yo estaba metido en un problema.

"¡Martín!" gritó Vicky.

En ese momento, escuché el zumbido estruendoso y el resonar de un potente sistema de sonido.

Y por encima del hombro de Steve, vi un carro. Era de un azul profundo y reluciente como el mar bajo el sol brillante. Andaba casi pegado al suelo, y sus vidrios eran de un tinte tan oscuro que parecían negros. ¡Era el LeMans de Frankie!

El sonido era tan fuerte que todo el mundo se detuvo a mirar, y vi a Chago en el que antes era mi asiento, el del pasajero. Él gritó algo, y el LeMans se detuvo. Los jugadores de fútbol se dieron vuelta.

Frankie salió del carro con ese gesto

de desprecio que hacía que la boca se le pusiera como si fuera la cicatriz en su estómago. Chago, Junie y Jesús también estaban allí. Y había otro chavo ahí que no conocía. Parecía joven. Unos trece o catorce años. Alguno nuevo para reemplazarme.

"Oye, vato" Frankie gruñó. "¿No estarás de fiesta sin nosotros?" Luego escupió un asqueroso pegote blanco en el suelo justo delante del zapato de Clarence.

"¿Quién es ése?" preguntó uno de los jugadores de fútbol en voz baja. Ellos rompieron el círculo que me rodeaba y se juntaron con nerviosismo, dejándole a Steve al frente. Había seis de nosotros y cinco de ellos.

Frankie se paró frente a Steve como si estuviera inspeccionando un carro destartalado al que habían puesto un precio demasiado alto. No me puedo imaginar lo que Steve estaba pensando parado frente a este tipo mayor que él y con tatuajes, cicatrices, y sin rastro alguno de miedo en sus ojos.

"¿Sabes qué?" dijo Frankie, mirando a Steve, quien se quedó guardando silencio. "No creo que me gusta la lista de invitados. ¿Qué estás mirando?"

Frankie le dio un empujón antes de que pudiera responder. Si no fuera por los pies rápidos de Steve, él se habría caído allí mismo. Clarence comenzó a moverse en defensa de Steve, pero Junie sacó una navaja. Todo el mundo se quedó helado en su sitio. Era como si nunca me hubiera ido de casa.

Yo sabía exactamente lo que iba a ocurrir a continuación. Yo lo conocía como a un programa que ya han pasado en la televisión quince veces. Frankie iba a despedazar a Steve, lo iba a lastimar, lo iba a hacer sangrar, y nosotros lo íbamos a ver. Esta iba a ser una fea escena de mi viejo mundo traída a mi mundo nuevo. Tal vez peor. Frankie tenía el brillo de sed en sus ojos. Siempre estaba buscando una razón para demostrar lo rudo que era. Steve le dio una excusa para lastimar lo que más odiaba, un chamaco engreído a quien no le hacía falta la calle para tener éxito.

Esta iba a ser también una gran noticia en la escuela. Y hasta tal vez en los periódicos. "Corredor estrella lastimado en ataque de pandillas". Me convertiría en un famoso delincuente en Bluford.

Steve debe haber sabido lo que se le venía encima. Estaba sudando, y sus ojos se movían adelante y atrás. Parecía un animal asustado capturado en una trampa.

"Tú no tienes miedo, ¿verdad?" dijo Frankie, dando vueltas alrededor de Steve, quien de alguna manera parecía haberse hecho más pequeño. Se volvió hacia sus amigos buscando una respuesta, pero estaban tan asustados como él. Uno de ellos temblaba como si tuviera un resfriado o algo así.

Yo no podía hacerles esto. Llámenme blando, o pelele. Pero yo no podía quedarme allí parado viendo. Me sentía sucio.

Frankie se le acercó para empezar el ataque. "¿Po´s que´ubo?" dijo, dando un paso más cerca. Iba a fregar a Steve bien gacho. Lo pude ver igual que podía ver el miedo en el rostro de Steve. Todos en Bluford me odiarían. Confirmaría todo lo que Teresa había dicho. Tenía que hacer algo.

"Atrás, Frankie", insistí. "Todo bien. Todo tranquilo".

Frankie me miró a la cara. *"¿Qué?"*

El nuevo chamaco de la pandilla de Frankie se veía indignado. Pude ver que estaba tratando de impresionar a Frankie.

"Déjalo en paz", le dije, mirando al chico nuevo. Si apenas sería unos pocos años mayor que Huero. Él no debería estar allí viendo todo esto.

"¿De qué hablas?" dijo Frankie. "El güey que se mete con uno de los míos, se las tiene que ver conmigo".

"Esta vez no, Frankie. Él no vale la pena". Antes de Frankie poder hacer nada, di un paso entre él y Steve. "Ándale, Steve. Todos ustedes, sáquense de aquí". Ni siquiera lo pensaron. En cuestión de segundos, se fueron a su carro y arrancaron. Los niñitos se iban corriendo a donde su mamita.

Frankie se volvió hacia mí y empezó a gritar. "¿Qué estás pensando, vato? Si no hubiéramos venido aquí a buscarte, te habrían dado en la torre. Vimos cómo ese tipo te estaba jaloneando. ¿Cómo te podías quedar ahí tranquilito no más aguantando todo eso?"

"¡Sí!" dijo Junie. "Ese no es el Martín que nosotros conocemos".

Yo no supe ni como explicarme. Frankie me miraba otra vez. Como lo hizo el otro día cuando estaba en su casa. El nuevo chico estaba muy incómodo e inquieto. "Es que son demasiadas cosas, tú sabes. Tengo un montón de cosas en la mente".

"Compadres", oí murmurar a Junie casi en un susurro. "A este todavía como que se le sigue botando la canica".

Como si ese chamaco tuviera autoridad para hablar de eso. Tenía los ojos rojos de tanto fumar marihuana. Ese era su pasatiempo favorito.

"Bueno, tenemos algo más que queremos que consideres, carnal", dijo Frankie, asintiendo con la cabeza a Chago.

"Hemos encontrado al malviviente que le disparó a Huero", dijo el Chago. "Ya lo tenemos planeado todo: dónde, quién y cómo. Es por eso que te vinimos a buscar. Vamos a entrarle mañana por la mañana. Te recogemos aquí a las 9:00".

"Sigues con el mismo plan, ¿cierto, Martín?" dijo Frankie.

Casi me desmayo. Lo lograron. Por fin habían encontrado a la persona que me quitó a mi hermano. Yo aún tenía rabia y sed de venganza, que aunque mezcladas con otras cosas, todavía estaban allí. Y sigue así. Y fue lo que en ese momento me hizo hablar.

"Sí, aquí estaré", le dije.

Frankie sonrió y asintió con la cabeza. "Nos vemos entonces, vato", dijo.

Él y los cuates se dirigieron de nuevo al carro. "A las 9:00, vato. ¡Debes estar listo!" dijo el chamaco, quienquiera que fuese. Ese canijo ni siquiera había conocido a Huero, pero allí andaba enrollado con los más perrotes.

Un segundo después, el LeMans arrancó, y ahí me quedé yo solito parado en el borde del estacionamiento. Entonces me acordé de algo. *Vicky.* Ella se había ido.

Debe de haberse escurrido de ahí cuando Frankie se presentó. Eso significaba que había visto a mi pandilla y ya sabía lo que éramos.

La había perdido. Probablemente para siempre. Pero yo ya estaba a punto de perderlo todo.

"Tu profesor de Inglés, el Sr. Mitchell, me llamó esta tarde. Dijo que sacaste una A en tu primer ensayo, y que escribiste sobre Huero. ¿Por qué no me dijiste nada?" me dijo mi madre cuando llegó del trabajo. Eran casi las 10:00. Ella estaba a punto de llorar de nuevo, pero esta vez de felicidad.

"No es gran cosa, Má", le dije. Sólo mirarla era una tortura.

"Hablamos un rato acerca de tí. Parece ser un buen hombre".

"Sí. No está mal". Entré a mi habitación. "Estoy cansado", le dije.

"Estoy muy contenta de que estés dándole un vuelco a tu vida. Mis oraciones están siendo contestadas. Mi bebé sacó una A", dijo mientras cerraba la puerta, con su voz llena de orgullo. Pero no tenía idea de lo que yo estaba a punto de hacer. Ni yo tampoco.

Eso fue anoche.

Pasé diez horas mirando al techo, imaginando cómo sería la mañana. Pero uno puede hacer todos los planes del mundo y nunca se sabe lo que va a suceder. La muerte de Huero me había enseñado eso.

Cuando me levanté, me puse mi ajuar, mis pantalones anchos, mis botas, mi pañoleta, y me fui. No pude comer nada. Mi estómago estaba dando volteretas mientras iba de camino a Bluford.

El LeMans estaba esperando en el estacionamiento al lado del lugar donde casi habíamos peleado el día anterior. El motor rugía en el claro aire de la mañana.

Frankie y Chago estaban parados frente al carro. Frankie estaba fumando.

"¡Viste! Te dije que él vendría", dijo Chago.

"Chécalo. Trajo su pañoleta, vato. El Martín de antes está de vuelta", dijo Junie a través de la ventana abierta.

Me fui directo a Frankie.

"Me alegro de verte, vato", dijo.

"¿Cuál es la bronca?"

"El nombre del cuate es Héctor Maldonado. Vive detrás de ese parque en el que me metieron la puñalada. A las 10:00, él va a tratar de ir a trabajar, pero no va a llegar", dijo Frankie con una sonrisa.

Tenía que haber una razón. Frankie nunca decía todo lo que sabía. Ya me había acostumbrado a eso. Así que tenía que tratar de descifrarlo. Mientras estuve despierto toda la noche pensando en lo que estábamos a punto de hacer, una pregunta volvía a mí mente.

"¿Por qué en el verano este hombre nos disparó, Frankie?" Tuve que preguntarle.

Frankie escupió en el suelo. Siempre odiaba que le hicieran preguntas. Y todavía seguía siendo así. "No importa.

De todas maneras él fue quien le disparó a tu hermano, ¿cierto?"

Sentía un hormigueo en las manos, y el sudor me bajaba por la nuca. Era como si me hubiese dado una bofetada en la cara. La respuesta de Frankie me puso la mente a dar vueltas.

"Ándale. Vamos, vatos", dijo Chago. "Martín, aquí tienes tu asiento, carnal". Él se cambió para la parte de atrás del LeMans, dejando que me sentara en la parte delantera, al lado de Frankie. Yo era nuevamente su mano derecha.

"Checa debajo de tu asiento", me dijo Frankie cuando nos metíamos en el carro y él aceleraba el motor. Me agaché para buscar y sentí el metal frío y liso de un arma de fuego. Por supuesto. Frankie se había asegurado de que cada uno de nosotros tuviera un arma de fuego. Ahora todos estábamos armados. Todos, excepto él. Ya todo parecía tener lógica. Demasiada lógica.

El carro comenzó a avanzar.

Detrás de mí, en el espejo retrovisor, podía ver una parte de la cerca que protegía a Bluford. Delante de mí estaba la concurrida calle que nos sacaría de ahí. Me senté en medio, con mi ajuar, listo para hacer algo de lo que nunca podría volver atrás. Yo estaba parado en el filo de la navaja.

Frankie manejó el LeMans hasta la salida del lote. Un autobús que estaba parado en el tráfico nos impedía doblar en la calle. Guardábamos silencio. Frankie aspiró una bocanada de su cigarrillo, y una espiral de humo subía serpenteando por su cara. Apretaba la mandíbula, y toqueteaba el volante, evitando tener contacto visual conmigo. El carro lleno de gente apestaba a sudor y cigarrillos.

Yo sabía por qué Frankie no había respondido a mi pregunta. Lo sabía desde hace días. Lo supe toda la noche mientras estaba pensado en un plan. Sabía que Frankie no lo diría. Él era demasiado inteligente como para dar a conocer información que lo pudiera mandar al bote, pero yo conocía la verdad.

Huero fue asesinado a causa de Frankie. Alguien estaba tratando de despacharle a Frankie, probablemente porque había hecho algo horrible. Y Frankie ahora nos estaba utilizando para lavar su ropa sucia, eliminar a sus enemigos. Armándonos a nosotros para tener más fuerza él mismo. Trayendo

165

caras nuevas para darse más poder. Esperando hasta estar seguro de que todo saliera bien. Haciéndonos jalar del gatillo nosotros, mientras que él se sentaba a observar. Éramos sus peones.

Y si nos cachaba la policía, él podría negarlo todo. Tal vez hasta nos dejaría pagar sus platos rotos. Frankie es así cuando tiene que serlo.

La verdad es que sólo se estaría creando otro lío. Otra familia desecha. Otra madre llorando. Otra trama para colectar lágrimas en un cementerio. Otra lápida en un creciente mar de tumbas.

Yo no. No Martín Luna. Ya no más.

"*Hay demasiada gente muerta*", había dicho Huero. Mi hermano menor estaba en lo cierto. Él me enseñó eso. Debía haber otra forma. Yo había pensado en una. Aunque las posibilidades de éxito fueran pocas, tuve que intentarlo.

Abrí la puerta del carro.

"Pos qué onda, Martín?" preguntó Chago.

"Me voy". Me bajé y comencé a caminar hacia Bluford.

Frankie me atravesó el LeMans por delante y se bajó.

"Vato, tú sabes que no puedes dejarnos", dijo. "Ahora súbete al carro".

"No lo voy a hacer, Frankie. Lo digo en serio".

"*Métete en el carro,* Martín". Su voz era fría. Como un puñal helado.

El carro se vació. Todos mis viejos cuates salieron a verme desafiar a Frankie. Yo sé que muy en el fondo todos ellos hubieran querido hacerlo en algún momento, pero estaban demasiado asustados.

"Me voy", le dije, tratando de esquivarlo.

Frankie dio un paso hacia un lado, me agarró de la camisa, y me encaró. "No me obligues a hacer esto, vato".

Yo lo empujé para sacármelo de enfrente, y me respondió con dos golpes a un costado a la velocidad del rayo. El segundo me dio como un martillazo, y sentí un dolor desgarrador mientras me echaba para atrás. Eran mis costillas. Otro golpe como ese y yo me caería en el suelo. Yo estaba encorvado del dolor.

Frankie dio un paso atrás. Era lo que siempre hacía cuando peleaba con alguien. Lo había visto muchas veces. Creo que lo hacía para comprobar los daños. Por lo menos era predecible.

"Métete en el carro ahora", ordenó Frankie.

"¡Me salgo!"

Frankie dio una vuelta otra vez alrededor de mí, buscando una abertura. Yo conocía su estilo y estaba preparado. No había manera de que pudiera vencerlo en una pelea, sobre todo si los muchachos se le unían. Devolver el golpe sólo alimentaría el fuego de la ira de Frankie. Él podría matarme. Tenía que luchar contra él de otra manera.

Los puñetazos se repitieron. Bloqueé y esquivé lo que pude, pero el tercer golpe me agarró en el mentón, haciendo que mi cabeza diera vueltas y partiéndome la boca.

"Tú te vienes con nosotros, Martín", gruñó Frankie. "De una forma o de otra".

"No, Frankie. Se acabó".

Frankie me embistió como un animal. Era demasiado rápido. En cuestión de segundos, me pegó repetidamente, me partió una ceja, me hizo hematomas en los brazos, en la mandíbula, y en la boca. Fue igual que el año pasado antes de que Mamá consiguiera la orden de restricción en contra de mi papá. Era una repetición del momento en que me uní a la pandilla de Frankie. Yo sabía cómo recibir palizas. Pero sólo se puede aguantar por cierto tiempo antes de que tus piernas se debiliten, te marees, y te caigas.

Caí de rodillas.

"Vamos, Martín. Somos una familia, vato. Hermanos", dijo Chago. "Vamos".

"Mi hermano era Huero, Chago, y está muerto debido a algo que hizo Frankie. Tú sabes que es verdad. Lo que vamos a hacer, no es de una familia, Chago. Es una locura".

Frankie fue al carro y regresó un instante después. Yo sabía que él tenía una de las armas de fuego. La tenía en la mano, escondida en el bolsillo de su abrigo para que los carros que pasaban no la pudieran ver.

"No puedes dejar a tu familia, Martín", dijo Frankie. Él sabía que yo había visto la pistola. Todos la vimos.

"Oh, no. No hagas esto, Frankie", dijo Chago. "Déjalo así, hombre".

"La muerte de mi hermano no era suficiente para ti, ¿eh, Frankie? ¿Ahora me quieres despachar a mí? Y de paso puedes matar a mi madre también. Tres vidas. ¿Es eso a lo que tú llamas familia, Frankie?"

Se levantó por encima de mí, con la pistola a unas pulgadas de mi cabeza. Nadie dijo ni una palabra. Pero Chago sacudía la cabeza. Junie se mantuvo echándole el ojo a la calle.

Frankie tenía el arma, y yo ya había jugado las únicas cartas que me quedaban. Probablemente me mataría si me ponía a pelear con él. Él me montaría cacería si lo delataba. La única salida era mostrarle que no tenía nada que perder. Era un lenguaje que Frankie entendía. Los años creciendo juntos me enseñaron eso.

"Yo no puedo seguir. Haz lo que tengas que hacer".

A Frankie aún le quedaba un poco de corazón. Él sabía que yo había perdido a mi hermano a causa de él. Sabía que yo hablaba en serio y que no podría hacerme cambiar de opinión. Meneó la cabeza.

"Esto no se ha acabado", dijo, mirándome y bajando la pistola. Sin decir ni una palabra, se metió en el LeMans, y luego los muchachos. Un instante más tarde, le metió todo el pie al acelerador y el carro se alejó en una nube blanca de humo de neumáticos. Yo estaba solo y de rodillas. Un hombre libre y sin nada.

¿Estaba huyendo de mi vida anterior? Creo que se podría decir eso. Huí antes de que me tragara, y terminara llegando a donde me dirigía: la cárcel o la muerte. Un pequeño obituario en la parte de atrás del diario. Un don nadie. Un nada. Yo quiero ser más que eso. A veces uno tiene que huir.

Pero ¿y ahora qué? No sé. Mi viejo mundo me ha sido arrancado, y el nuevo no tiene mucho sentido. Sólo quedo yo, con esta escuela tan grande, una chava testaruda, un nuevo barrio, y las palabras de mi loco profesor, el Sr. Mitchell.

Martín, tienes talento, y puedes tener un futuro brillante. No lo tires a la basura. Cuando sientas que las cosas se te están yendo de las manos, cuando sepas que te estás hundiendo, habla conmigo. Yo estoy aquí para ayudarte. Y lo digo en serio.

Me estoy aferrando a esas palabras como si fueran un salvavidas.

Así que aquí estoy frente a Bluford con tres horas de retraso. El guardia sale a mi encuentro. Al igual que la Sra. Spencer. Yo sé que pueden ver la sangre. Tengo mucho que explicar, y sé que no me van a creer. Pero lo intentaré. Tomé mi decisión. Y debo atenerme a las consecuencias.

Yo no soy un asesino. Nadie en mi familia lo es. Así es como se van a quedar las cosas.

El guardia está ya casi aquí. Me van a llevar a la oficina. Voy a darle una llamada a mi mamá y al oficial Ramírez. Tengo el nombre de la persona que le disparó a mi hermano.

Descansa en paz, Huero. Voy a hacer que te sientas orgulloso de mí.